Reinhold Brinkmann
Franz Schubert, Lindenbäume und
deutsch-nationale Identität –
Interpretation eines Liedes

Wiener Vorlesungen im Rathaus

Band 107
Herausgegeben für die Kulturabteilung der Stadt Wien
von Hubert Christian Ehalt

Vortrag im Schubert-Saal des Wiener Konzerthauses
am 18. November 2003

Reinhold Brinkmann

Franz Schubert, Lindenbäume und deutsch-nationale Identität – Interpretation eines Liedes

Picus Verlag Wien

Die Wiener Vorlesungen im Rathaus

Die große Resonanz, die der Vortrag des berühmten deutschen Soziologen Prof. Dr. René König am 2. April 1987 im Wiener Rathaus bei einem sehr großen Publikum hatte, inspirierte die Idee einer Vorlesungsreihe im Rathaus zu den großen Problemen und Überlebensfragen der Menschen am Ausgang des 20. Jahrhunderts.

Das Konzept der Wiener Vorlesungen ist klar und prägnant: Prominente Denkerinnen und Denker stellen ihre Analysen und Einschätzungen zur Entstehung und zur Bewältigung der brisanten Probleme der Gegenwart zur Diskussion. Die Wiener Vorlesungen skizzieren nun seit Anfang 1987 vor einem immer noch wachsenden Publikum in dichter Folge ein facettenreiches Bild der gesellschaftlichen und geistigen Situation der Zeit. Das Faszinierende an diesem Projekt ist, dass es immer wieder gelingt, für Vorlesungen, die anspruchsvolle Analysen liefern, ein sehr großes Publikum zu gewinnen, das nicht nur zuhört, sondern auch mitdiskutiert. Das Wiener Rathaus, Ort der kommunalpolitischen Willensbildung und der Stadtverwaltung, verwandelt bei den Wiener Vorlesungen seine Identität von einem Haus der Politik und Verwaltung zu einer Stadtuniversität. Das Publikum kommt aus allen Segmenten der Stadtbevölkerung; fast durchwegs kommen sehr viele Zuhörer aus dem Bereich der Universitäten und Hochschulen; das Wichtige an diesem Projekt ist jedoch, dass auch sehr viele Wienerinnen und Wiener zu den Vorträgen kommen, die sonst an wissenschaftlichen Veranstaltungen nicht teilnehmen. Sie kommen, weil sie sich mit dem Rathaus als dem Ort ihrer Angelegenheiten identifizieren, und sie verstärken durch ihre Anwesenheit den demokratischen Charakter des Hauses.

Es ist immer wieder gelungen, Referentinnen und Referenten im Nobelpreisrang zu gewinnen, die ihre Wissenschaft und ihr Metier durch die Fähigkeit bereichert haben, Klischees zu zerschlagen und weit über die Grenzen ihres Faches hinauszusehen. Das Besondere an den Wiener Vorlesungen liegt vor allem aber auch in dem dichten Netz freundschaftlicher Bande, das die Stadt zu einem wachsenden Kreis von bedeutenden Persönlichkeiten aus Wissenschaft und Forschung in aller Welt knüpft. Die Vortragenden kamen und kommen aus allen Kontinenten, Ländern und Regionen der Welt, und die Stadt Wien schafft mit der Einladung prominenter Wissenschaftler und Wissenschaftlerinnen eine kontinuierliche Einbindung der Stadt Wien in die weltweite »scientific community«. Für die Planung und Koordination der Wiener Vorlesungen war es stets ein besonderes Anliegen, diese freundschaftlichen Kontakte zu knüpfen, zu entwickeln und zu pflegen.

Das Anliegen der Wiener Vorlesungen war und ist eine Schärfung des Blicks auf die Differenziertheit und Widersprüchlichkeit der Wirklichkeit. Sie vertreten die Auffassung, dass Kritik ein integraler Bestandteil der Aufgabe der Wissenschaft ist. Eine genaue Sicht auf Probleme im Medium fundierter und innovativer wissenschaftlicher Analysen dämpft die Emotionen, zeigt neue Wege auf und bildet somit eine wichtige Grundlage für eine humane Welt heute und morgen. Das Publikum macht das Wiener Rathaus durch seine Teilnahme an den Wiener Vorlesungen und den anschließenden Diskussionen zum Ort einer kompetenten Auseinandersetzung mit den brennenden Fragen der Gegenwart und es trägt zur Verbreitung jenes Virus bei, das für ein gutes politisches Klima verantwortlich ist.

Fernand Braudel hat mit dem Blick auf die unterschiedlichen Zeitdimensionen von Geschichte drei durch Dauer und Dynamik voneinander verschiedene Ebenen beschrieben: »L'histoire naturelle«, das ist jener Bereich der Ereignisse, der den Rhythmen und Veränderungen der Natur folgt und sehr lange dauernde und in der Regel flache Entwicklungskurven aufweist. »L'histoire sociale«, das ist der Bereich der sozialen Strukturen und Entwicklungen, der Mentalitäten, Symbole und Gesten. Die Entwicklungen in diesem Bereich dauern im Vergleich zu einem Menschenleben viel länger; sie haben im Hinblick auf unseren Zeitbegriff eine »longue durée«. Und schließlich sieht er in der »histoire événementielle« den Bereich der sich rasch wandelnden Ereignisoberfläche des politischen Lebens.

Die Wiener Vorlesungen analysieren mit dem Wissen um diese unterschiedlichen zeitlichen Bedingungshorizonte der Gegenwart die wichtigen Probleme, die wir heute für morgen bewältigen müssen. Wir sind uns bewusst, dass die Wirklichkeit der Menschen aus materiellen und diskursiven Elementen besteht, die durch Wechselwirkungsverhältnisse miteinander verbunden sind. Die Wiener Vorlesungen thematisieren die gegenwärtigen Ver-

hältnisse als Fakten und als Diskurse. Sie analysieren, bewerten und bilanzieren, befähigen zur Stellungnahme und geben Impulse für weiterführende Diskussionen.

Hubert Christian Ehalt

Franz Schubert, Lindenbäume und
deutsch-nationale Identität –
Interpretation eines Liedes

Dort oben beginnt unsere Geschichte, oder vielmehr:
dort lässt der *Geist der Erzählung* sie heute beginnen.
Dort: in einem Waldsanatorium hoch über Davos in den
Schweizer Alpen, uns heute noch bekannt in seiner fikti-
ven Existenz als »Haus Berghof«, jene Heilstätte, der
ein deutscher Romancier des 20. Jahrhunderts zauberi-
sches Wesen attestierte. Kurz nach Beginn des vorigen
Jahrhunderts, aber noch vor dem Ausbruch des Ersten
Weltkriegs hatte die Leitung dieses Berghofes »aus nie
rastender Fürsorge« für ihre Gäste eine »Vermehrung
der Unterhaltungsgegenstände« beschlossen und ein
technisches Wunder seiner Zeit angeschafft: »Es war ein
strömendes Füllhorn heiteren und seelenschweren
künstlerischen Genusses. Es war ein Musikapparat. Es
war ein Grammophon.« (883)[1]

»Situation des Liedes«

»Fülle des Wohllauts« überschreibt unser schallplattenbe-
geisterter Romanautor das vom Grammophon handelnde
Kapitel und er lässt Hans Castorp, den Hauptcharakter
seines Romans, sofort reagieren. Castorp ernennt sich ei-
genhändig zum Discjockey des »Berghofs« und schafft

11

sich so direkten, privilegierten Zugang zu der Kollektion von etwa hundertvierzig Schallplatten. Fünf davon waren seine Lieblingsplatten; nach Auskunft seines Erfinders wurde er »nie müde«, sie zu hören. Es waren dies – und beachten Sie bitte, dass alle mit dem Todesgedanken zu tun haben – die Schlussszene aus »Aida«, Debussys »Prélude à l'après-midi d'un faune«, Don Josés Blumenarie, Valentins Gebet und schließlich – aber lassen wir jetzt unseren lübischen Erzähler selbst zu Wort kommen –

> *ein fünftes und letztes Stück aus der Gruppe der engeren Favoriten, – welches nun freilich gar nichts Französisches mehr war, sondern sogar etwas besonders und exemplarisch Deutsches, auch nichts Opernhaftes, sondern ein Lied, eines jener Lieder, – Volksgut und Meisterwerk zugleich und eben durch dieses Zugleich seinen besonderen geistig-weltbildlichen Stempel empfangend. Wozu die Umschweife? Es war Schuberts ›Lindenbaum‹, es war nichts anderes als das altvertraute ›Am Brunnen vor dem Tore‹.«*
> *(903)*

»Volksgut und Meisterwerk zugleich« – der »Lindenbaum« markiert in der Tat das Zusammentreffen mehrerer Perspektiven auf die Gattung Lied, die in nur zwei Jahrzehnten von einer marginalen Existenz in das Zentrum der Musikgeschichte des 19. Jahrhunderts rückte. Zeitgenössische Kritiker wie auch spätere Historiker haben das Lied nach Goethe und seit Schubert auf einen neuen Ton in der dichterischen Lyrik zurückgeführt, einen Ton, der sich um 1800 durchsetzte: Eichendorff, Rückert, Heine, Uhland sind die Namen, deutsche Romantik war der Terminus in weniger methodenbewussten Zeiten. Diese musikalische Lyrik repräsentierte Individualität; sie konzentrierte sich also nicht auf die Bildung und Füllung von »Welt«, die Wirkung nach außen, sondern auf den Ausdruck dessen, was Hegel die subjektive »Innerlichkeit der Stimmung und Reflexion« genannt hat. Von allen im 19. Jahrhundert existierenden musikalischen Gattungen sind es das Lied und das lyrische Klavierstück, die diese Doppelsignatur tragen. Beide haben dieselbe Ästhetik, beide haben eine parallele Geschichte und beide kreuzen die Grenzlinien, die sie trennen sollten, hin und zurück, beide werden dabei wechselseitig transformiert und integrieren das andere in den Prozess, das Lied, indem es die Worte abstreift und zum lyrischen Klavierstück wird; wie am Ende von Schumanns »Dichterliebe«. Den umgekehrten Weg, vom lyrischen Klavierstück zum Lied, finden wir in der zeitgenössischen Bearbeitungspraxis, zum Beispiel als Addition einer Singstimme mit Text zu Schumanns »Kinderszenen«, op. 15.[2]

Der soziale Ort dieser neuen musikalischen Lyrik war das bürgerliche Heim, auch der Salon; und das Lied erschien im öffentlichen Raum des Konzertsaals nur zögerlich und spät. Die große Zeit des kleinen Liedes war das »lange« 19. Jahrhundert, wie Historiker die von ihnen als Epoche konstruierte Zeit zwischen der Französischen Revolution und dem Ersten Weltkrieg nennen, in anderen Worten, das Zeitalter bürgerlicher Subjektivität, ihrer Gefährdung und ihrer Krise. Dabei setzt Schuberts »Winterreise« von 1827/28 den älteren, den frühen Ton und Schönbergs »Hängende Gärten« von 1908/09 definieren die letzte, die späte Phase.

Am Anfang dieser Neubestimmung von Lyrik als Verkörperung bürgerlicher Subjektivität steht Goethes rätselhafte Romanfigur Mignon – als deren Allegorie. »Und die Welt hebt an zu singen, triffst du nur das Zauberwort.« Nur im lyrischen Singen und Sagen findet Mignon zu sich selbst, trifft das Eichendorff'sche Zauberwort, so wie dieses Zauberwort sie aufspürt und beredt macht: Mignon – eine komplexe, zutiefst problematische Kunstfigur am sehnsuchtsvoll-hoffnungsfrohen Beginn eines langen Jahrhunderts projektierter Selbstverwirklichungen, in dessen Verlauf aber mehr und mehr die Krise dieser Individualität gesungen wird und dessen Ende mit der Absage an das Konzept einer Selbstbestimmung durch das Individuum einhergeht – sei es im Misslingen des Dialoges mit dem Prinzip Welt, sei es im Zerbrechen der Kommunikation mit einem anderen Ich. »Nun ist wahr, dass sie für immer geht«, heißt es 1909 mit einem symbolistischen Vers Stefan Georges am Ende von Schönbergs Liederkreis op. 15. (Und am Ende der Lyrik-Geschichte finden wir die andere allegorische Kunstfigur – Hans Castorp.)

Von großer Wichtigkeit für die Entwicklung des Liedes zu einer bedeutenden Gattung war die Wahl des begleitenden Instruments. Das Lied profitierte von den technischen Verbesserungen des Klaviers – respektive des Flügels –, Schumann sah hier den zentralen Faktor für den Fortschritt seiner eigenen Liedkomposition über Schubert hinaus. Damit zog das Lied zugleich seinen

Nutzen aus dem enormen Boom der Klavierproduktion, die bereits am Beginn des 19. Jahrhunderts industrielle Dimensionen erreichte und so die Klavierkultur im bürgerlichen Haus erst ermöglichte. Mit guten Gründen konnte das Klavier das Musikmöbel des Mittelstandshaushalts genannt werden.

Systematisch wie geschichtlich erscheint das Lied in verschiedenartigen Konstellationen, verschiedenen Existenzweisen, wie ich formulieren möchte. Das individuelle Werk ist aber nicht länger Gegenstand bloß ästhetischen Räsonnements. Musik wird grundsätzlich ein Teil des entwickelten Stadtlebens und verfällt damit wie alle anderen Artefakte der Orientierung auf eine öffentliche Kultur – Nachbarn der neu erbauten Konzertsäle des 19. Jahrhunderts sind die Museen, die öffentlichen Gärten, die Zoos, die Sportanlagen, das öffentliche Transportwesen mit Straßenbahn und Bus. Und: Das Kunstwerk betritt den Konsummarkt, wird eine Ware wie nur irgendetwas in der kommerzialisierten Welt unseres modernen Zeitalters. Von nun an wird Erfolg gemessen sowohl an künstlerischen wie an wirtschaftlichen Kriterien.

Damit ist der Grund skizziert für die ästhetische, geschichtliche und gesellschaftlich-ideologische Interpretation eines einzelnen Liedes, eines repräsentativen Beispiels des neuen lyrischen Tons, eines Liedes vom Beginn der neuen Entwicklung der alten Gattung Lied. Für heute habe ich ausgewählt – und Hans Castorp würde meiner Wahl applaudiert haben – Franz Schuberts »Der Lindenbaum«: »Am Brunnen vor dem Tore«.

Konzept: Existenzformen

Ein Katalog der Existenzformen eines erfolgreichen, vielleicht des populärsten Liedes in deutscher Sprache umfasst durchaus verschiedene Grade künstlerischer Durchgestaltung, sozialgeschichtlicher und kunsthistorischer Geltung, populärer Ausstrahlung, funktionaler Bestimmung, textbezogenen oder rein instrumentalen Designs. Analog sind die Intensitäten der verändernden Eingriffe in die Primärgestalt als Kunstlied von unterschiedlichem Gewicht. Zu den rezeptionsästhetisch wie sozialgeschichtlich besonders interessanten Veränderungen gehören vor allem die Vereinfachungen der kompositorischen Faktur und – als deren Folge – die Umpolungen des Kunstliedes zum Mitglied eines Genres der »mittleren« Musik, die Einrichtung für Salonorchester zum Beispiel oder die Präsentation als Männerchorlied. Doch beginne ich vor der Musik, oder genauer: vor ihrem nicht bloß gedachten, sondern klingenden Auftritt.

Wilhelm Müllers »Lindenbaum«

»Der Lindenbaum« existiert vor Schubert, als literarisches Lied, als Gedicht, das allerdings, wie Wilhelm Müller seine Lyrik verstand, auf Musik, auf die Vertonung wartet. Die folgende Briefnotiz enthält in nuce die zentralen Momente seiner Liedästhetik, es ist die der Goethe-Zeit in geradezu exemplarischer Weise. Wilhelm Müller schreibt einem Komponisten, um ihm seinen

»... [Ihnen meinen] Dank auszusprechen für die mu-
sikalische Belebung meiner Verse. Ich sage nicht zu-
viel und nichts Gesuchtes: denn in der Tat führen
meine Lieder, die zu einem deklamatorischen Vortra-
ge, wenige ausgenommen, durchaus nicht geeignet
sind, nur ein halbes Leben, ein Papierleben, schwarz
auf weiß [...] bis die Musik ihnen den Lebensodem
einhaucht, oder ihn doch, wenn er darin schlummert,
herausruft und weckt.«[3]

Des Dichters Vorstellung ist deutlich. Das literarische
Lied ist im Hinblick auf Musik geschrieben, es wartet
darauf, vertont zu werden, denn es wird erst »ganz«
durch die Musik. Die richtige Vertonung eines literarischen Liedes[4] legt die im Sprachkörper des Gedichts
verschlossene Musik offen (den »Lebensodem«, der in
den Sprachversen »schlummert«) und befreit die Verse
zu ihrer klingenden Existenz, zum musikalischen Lied.
(Müllers Brief zitiert übrigens mit dem »Papierleben,
schwarz auf weiß« Verse aus Goethes Gedicht »An
Lina«.) Beide Medien aber bedingen einander, stehen in
einem Komplementärverhältnis, und weder die Wortver-
se noch die Musikzeilen sollen dominieren. Und dennoch, auch wenn es auf Musik als Komplement ausge-
richtet ist, kann das literarische Lied lyrische Qualitäten
haben, die ihm eine eigene Existenzform als Gedicht
zukommen lassen. »Der Lindenbaum« ist ein solcher
Fall. Seine Bilderwelt, die Anlage seiner temporalen
und modalen Aussageformen codieren die Neigung des
lyrischen Ich der »Winterreise« zur Anerkennung fikti-
ver Wahrnehmungen als Realität und definieren so in

der Sprachgestalt, also noch ohne die »musikalische Belebung«, ein zentrales Motiv des komponierten Zyklus.

Nun beruht der Gehalt von Müllers Gedicht auf dem sorgfältig kalkulierten Wechsel der Tempora und der Modi, der Zeitformen und Aussageweisen. Offensichtlich ist erst der Beginn der sechsten Gedichtstrophe reale Gegenwart (»Nun bin ich manche Stunde entfernt von jenem Ort«), alles Vorhergehende ist – mit Ausnahme der Zeilen 1 und 2 – Vergangenheit, Erinnerung.

»Ich mußt auch heute wandern / Vorbei in tiefer Nacht, / da habe ich noch im Dunkel / die Augen zu gemacht« (zweimal der Indikativ).

Die dritte Gedichtstrophe bringt mit dem »heute« in der Vergangenheitsform des schicksalhaften »mußt« die Aktualisierung und Zuspitzung; sie handelt vom psychischen Zustand des lyrischen Subjekts, seiner Isolierung und Verwundung. In der Dunkelheit der Nacht schleicht sich der Wanderer an der Linde vorbei und schließt überdies noch die Augen, um nicht den Versprechungen jener Traumwelt zu verfallen, an die er ohnehin nicht mehr glauben kann, die aber noch zu wirkungsmächtig ist, um einfach ignoriert zu werden. Merkwürdig ist, dass der Wanderer nachts zwar die Augen, nicht aber die Ohren schließt. Hören will er das »Rauschen« denn doch, sich dessen Verführung aussetzen. (Odysseus ließ sich an den Schiffsmast anketten, um nicht den Sirenen zu verfallen, die er dennoch unbedingt hören wollte.) Oder aber: Die Linde »rauscht« gar nicht, das tönende Locken ist nichts als Einbildung.

»Und seine Zweige rauschten / Als riefen sie mir zu«
(einmal der Indikativ, einmal der Konjunktiv).

Gedichtstrophe vier bringt die tönende Gegenwelt, die verklärende Lockung des »rauschenden« Baumes. Doch die konjunktivische Als-ob-Konstruktion (»Als riefen sie mir zu«) erweist den Bericht, die Botschaft des Rauschens, als Fiktion, als reine Interpretation des wandernden Subjekts. Die eingebildeten Lockworte selbst (»Komm her zu mir, Geselle ...) sind dabei wieder, oder auch: noch im Indikativ gegeben.

»Nun bin ich manche Stunde ...«

Gedichtstrophe sechs spricht aus der Gegenwart heraus und daher im Präsens. Doch beide Aussagen über den Lindenbaum werden zum »Als ob«. Einmal »hört« der Wanderer trotz der stundenweiten Entfernung das Rauschen der Linde, das kann nur reine Einbildung, Fiktion sein. Und das Ruheversprechen des Baumes in der letzten Zeile steht nun – anders als in Strophe vier mit ihrem indikativischen Ruf – selbst im Konjunktiv: »Du fändest Ruhe dort!«, mit der Selbstanrede »du« und dem merkwürdigen »dort«, das neben der Entfernung zum Ort wieder die Imagination des Ichs, seine innere Stimme als Instanz andeutet: Der Baum würde »hier« und nicht »dort« sagen.

In dieser Weise pendelt der Liedtext zwar ständig zwischen Realität und Fiktion. Was als Realität berichtet wird, erweist sich aber ebenfalls stets als Phantasie des lyrischen Subjekts. Letztlich gibt es nur dessen Perspektive – Wünsche, Träume. So viel zum Gedicht und seiner bemerkenswerten Konstruktion.

Zentrum, Maß und Ausgangspunkt des Existenzenfächers, wie er sich geschichtlich entfalten wird, ist das Lied in der Vertonung für Singstimme und Klavier (später auch in der Vertonung anderer Komponisten, zum Beispiel im 20. Jahrhundert von Reiner Bredemeyer). Zunächst verkörpert und benennt »Der Lindenbaum« den historischen Ort des Schubert'schen Liedes, das auf dem Weg ist, sich aus den Bindungen an die usuellen Momente der Liedästhetik der Goethe-Zeit zu lösen, um sich als Kunstlied den Ansprüchen der neuen Musikkultur und ihren öffentlichen Erscheinungen zu stellen. Und es ist die geschichtliche Signatur gerade des Schubert'schen Kunstliedes, dass es die tradierten Momente des Popularen, vor allem die Goethe'sche Ästhetik der »Sangbarkeit«, nach Form wie Gehalt nie ganz abstreift, sondern sie aktiv aufbewahrt, auch artifiziell benutzt. Man kann sagen, dass der »Lindenbaum« dieses Populare mehr als alle anderen Lieder Schuberts verkörpert. Die reiche Geschichte seiner Bearbeitungen zum Hausgebrauch legt gerade davon Zeugnis ab.

Bearbeitung heißt jede Veränderung eines Werks, die darauf abzielt, das Originalwerk einem bestimmten Zweck anzupassen,[5] und ist eine typische Umgangsform des 19. Jahrhunderts mit seinem durch die Erkundung der Geschichte ständig größer werdenden Werkrepertoire. Diese Bearbeitungspraxis umfasst beim »Lindenbaum« eine Vielzahl unterschiedlicher instrumentaler und vokaler Existenzformen, wobei mit dem Fortschreiten des 19. Jahrhunderts immer mehr und andere Instrumente oder Instrumentengruppen einbezogen werden und zugleich die Parallelangebote der verschiedenen Verlage zunehmen. Die Listen in Hofmeisters Monatsberichten, Jahresverzeichnissen und Handbüchern seit den dreißiger Jahren des 19. Jahrhunderts bestätigen die wachsende Ausbreitung des »Lindenbaums« über die gesamte Musiklandschaft. Nur wenige andere Titel zeigen eine ähnliche Erfolgsgeschichte. Bei Schubert ist merkwürdigerweise »Am Meer« das Lied mit dem größten Bearbeitungsradius. Bei Schumann ist ein lyrisches Klavierstück, die »Träumerei«, ein Bestseller ohne Konkurrenz und dies wohl auch im Vergleich mit Werken anderer Komponisten.

Ein Zyklus schauerlicher Lieder

Die Erinnerungen der Schubert-Freunde sind bekanntlich nur mit Vorsicht als direkte Quellen zu benutzen. Das gilt gewiss auch für Joseph von Spauns erst in den fünfziger Jahren des 19. Jahrhunderts niedergeschriebene Erinnerungen. Dennoch möchte ich annehmen, dass Spauns Bericht über Schuberts erste Vorstellung des ersten Teils der »Winterreise« im Hause Schober ein Gutteil innerer Wahrheit beanspruchen darf, auch wenn um die einzelne Formulierung nicht zu streiten ist. Der Text überliefert drei Momente sehr schön: die Bedeutung, die Schubert diesem Zyklus innerhalb der Geschichte des Liedes zudachte; die Fremdheit der »Winterreise«-Mu-

Abb. 1: Rückseite der Ausgabe der Träumerei, »für Orgel frei übertragen« von Sigfrid Karg-Ehlert mit Reklame für die im Musikverlag Carl Simon erschienenen Bearbeitungen dieses Stückes.

siksprache selbst unter den nächsten Freunden Schuberts und die Sonderstellung für das »Lindenbaum«-Lied, dessen besondere Geschichte hier bereits begann.

»Schubert wurde durch einige Zeit düster gestimmt und schien angegriffen. Auf meine Frage, was in ihm vorgehe, sagte er nur, ›Nun, ihr werdet es bald hören und begreifen.‹ Eines Tages sagte er zu mir, ›Komme heute zu Schober, ich werde euch einen Zyklus schauerlicher Lieder vorsingen. Ich bin begierig zu sehen, was ihr dazu sagt. Sie haben mich mehr angegriffen, als dieses je bei anderen Liedern der Fall war.‹ Er sang uns nun mit bewegter Stimme die ganze ›Winterreise‹ durch. Wir waren über die düstere Stimmung dieser Lieder ganz verblüfft und Schober sagte, es habe ihm nur ein Lied, ›Der Lindenbaum‹, gefallen. Schubert sagte hierauf nur: ›Mir gefallen diese Lieder mehr als alle, und sie werden euch auch noch gefallen.‹«[6]

»Volksgut und Meisterwerk zugleich« hat Thomas Mann gerade dieses Lied vom Lindenbaum genannt und durch die Fügung mit dem »zugleich« das Kompositum betont. Das Erstere leuchtet angesichts des homophon-akkordischen Satzes, der einfachen Harmonik und der scheinbar so normalen Periodik unmittelbar ein. Die Meisterwerkqualitäten dagegen wollen noch erwiesen sein. Denn Thomas Manns Urteil ist post festum gegeben, vom Ende der Geschichte her; und wenn man dem »Lindenbaum« eine Sonderstellung innerhalb der »Winterreise« zugestehen will, wie das offenbar Schober tat, dann traf das Verdikt von Gottfried Wilhelm Fink, dem mächtigen Redakteur der *Allgemeinen musikalischen Zeitung,* auch dieses Lied: nämlich nicht Lied zu sein, sondern allenfalls Gesang, mit Verstößen gegen das Liedhaft-Einfache.

>*Uebertreibungen, zum Beispiel frappante Modulationswürfe, sonderbare rhythmische Rückungen ... meist geschickte, auch wohl sehr bunte und stark aufgetragene Malereyen ...«,*

findet Fink[7], auch das Durchgearbeitete des Klavierparts wird gerügt – hier lebt die alte Kontroverse um Strophenlied oder Durchkomposition wieder auf. Und aus seinem Blickwinkel hat Fink durchaus Recht, wenn er die Andersartigkeit der »Winterreise« hervorhebt. Schubert jedenfalls war sich der besonderen Position der »Winterreise« sehr wohl bewusst, nicht nur in seinem Œuvre, sondern in der geschichtlichen Entfaltung der Liedgattung insgesamt. Die Komplexität des kontextuellen, repräsentativen und kunstgeschichtlichen Ortes der »Winterreise« forderte gleichermaßen komplexe kompositorische Mittel und Maßnahmen. Die Naivität von Ton, Charakter und formalem Design der »Schönen Müllerin« passte nicht für die »Winterreise«. Der Müllerin-Zyklus, zum Beispiel, zieht Vorteile aus dem einfachen Wiederholungsprinzip der strophischen Form, das die unkomplizierte Natur des Müllerburschen und seine Sicht der Welt auszudrücken vermag.

Strophen

In der »Winterreise« tritt das reine Stophenlied in den Hintergrund.

Wenn es denn aber Strophenlieder gibt, wie beim »Lindenbaum«, dann spielen sie ein artifizielles Spiel mit der strophischen Form; sie zeigen plötzliche Struktureinbrüche, Tempowechsel, melodische Extravaganzen und anderes mehr. Insgesamt aber dominieren individuelle Formgebungen, die direkt von den Textformen abhängen. Wir finden ein reiches Arsenal an sehr verschiedenen musikalischen Texturen und Charakteren (den Charakterbegriff benutzt Budde mehrfach[8]), Modellen und Formeln der zeitgenössischen Musiksprache, die kombiniert werden, um eine kompositorisch kohärente, ausdrucksvolle formale Einheit zu bilden, die Form und Gehalt des Textes reflektiert. So steht ein Arioso neben einem Rezitativ (wie in »Frühlingstraum«); periodisch strukturierte Melodien (wie in »Gute Nacht«) und melodische Abspaltungen und Teilungen, die selbständig werden (»Der Lindenbaum«, dritte Strophe); fragmentarische Einheiten (der doppelte Nachsatz am Beginn von »Der Lindenbaum« zum Beispiel); ornamental eigenartige melodische Figurationen für spezifische Ausdrucksweisen (die koloraturartigen Läufe in der zweiten Hälfte von »Wetterfahne«, die melodischen Exzesse in »Irrlicht«); Sätze für Bläserchor (»Das Wirtshaus«, »Die Nebensonnen«); instrumentale Charaktere generell (die Unisoni von »Letzte Hoffnung«, die ebenfalls die Stimme integrieren); choralähnliche Akkordfolgen mit einer führenden Oberstimme (am vokalen Beginn von »Der Lindenbaum«, am Ende von »Im Dorfe«). Es gibt sogar den normalen Klavier-liedsatz, eine Stimme mit motivisch ausgearbeiteter figurativer Klavierbegleitung (»Erstarrung«) und manches mehr ... Im größten Teil der »Winterreise«-Lieder hilft der Klavierpart, spezifische Satzcharaktere zu formulieren (Budde). Neben den durchgehaltenen Figurations-modellen, die typisch sind für eine Klavierbegleitung (wie in »Die Post«), erscheinen Topoi aus anderen Musikarten: Tremoli, die orchestrale Streicher-Techniken imitieren (»Einsamkeit«) oder ähnlich quasi-orchestrale Läufe von Oktaven oder Doppeloktaven (»Letzte Hoffnung«); aus dem Vokalen kommen melodische Linien im Klavier, die die Stimme übersingen (»Der greise Kopf«). Schuberts kreative Phantasie scheint ein unge-wöhnliches Maß an historischem Bewusstsein investiert zu haben, um ein Werk zu schreiben, das beansprucht, die Wahrheit über eine neue Gesellschaft zu repräsentie-ren, eine Sozietät, die am Beginn des 19. Jahrhunderts mit großem Optimismus begrüßt wurde und die doch bereits ein Vierteljahrhundert später keine praktische Chance mehr zu haben schien, Realität zu werden.

Charakter und Form

Die Linde vor dem Stadttor – das ist der Ort der Liebe und der Versöhnung, »der baum, unter dem die liebenden sitzen« und unter dem sich die »tanzlust« der Jugend austobt. Doch mahnt uns Grimms Wörterbuch auch mit Goethe, dass sie ebenfalls der Ort sein kann für die »ernste versammlung der ältesten« des Dorfes. Diese Linde hat Autorität. Vor allem aber ist der Lindenbaum – in seinen verschiedenen Ausprägungen als Dorflinde, Brunnenlinde, Friedhofslinde … – der Baum der deutschen Literatur von »Minnesangs Frühling« und Walter von der Vogelweide über Rückert bis hin zu Adrian Leverkühn, zu dessen Geburt und zu dessen Dämmerjahren die »von einer grünen Bank umlaufene Linde«, ein »mächtiger« Baum, vor dem Vaterhaus in Buchel blühte. (Einen solchen gewaltigen Baum, die »Linde zu Himmelsberg«, zeigt die Deutsche Post auf der gängigsten Briefmarke von 110 Pfennig oder 55 Cent.) Aber Wilhelm Müllers Lied beruft eine Sonderform des poetischen Motivs vom Lindenbaum, jene geschichtenreiche Brunnenlinde, die dem Wanderer Ruhe verspricht, wie einst der Bach in seinem Wiegenlied am Ende dem wandernden Müllerburschen endgültige Ruhe gegeben hatte:

»Gute Ruh, gute Ruh, / Tu die Augen zu«.

Doch ist das poetische Subjekt der »Winterreise« ein komplizierterer Casus als der Naturbursche der »Schönen Müllerin«. Das zeigt sich unter anderem auch in der kompositorischen Handhabung der tradierten Formen. Ein Beispiel sind die Hornquinten, die nur artifiziell erklärbar sind (es gibt keine Jagd und keinen Wald in Müllers Text). Die Funktion der Hornformel ist nicht die Errichtung einer realen Szenerie, sondern die symbolische Repräsentation von Erinnerung durch den romantisch besetzten Topos.[9]

Für die generelle Analyse der Schubert'schen Lieder habe ich Elmar Buddes Insistieren auf dem Charakterbegriff als besonders hilfreich empfunden. »Der Lindenbaum« exponierte demnach vier Charaktere: den lautenartig präludierenden instrumentalen Prolog, dann mit dem Singstimmeneinsatz den akkordisch die Singstimme stützenden Choralsatz und den Kunstliedsatz der zweiten Strophe: führende Singstimme mit motivisch durchgearbeiteter Begleitung. Eine vierte Textur bringt die dritte Liedstrophe mit den durch Oktavgänge aufgebrochenen Triolen aus dem instrumentalen Prolog und der entthematisierten, auf den Tönen C–H wie eingefrorenen Singstimme. Die vierte Gesangsstrophe kehrt dann grundsätzlich zum Liedsatz zurück, worauf der Prolog als Epilog das Lied beendet.

In Schuberts Zyklus steht das Lied »Der Lindenbaum« wie beim Dichter Wilhelm Müller an fünfter Stelle. Nicht nur ist es das erste Lied in Dur, sondern nachdem das f-Moll respektive c-Moll der Lieder 3 und 4 in den subdominantischen Bereich der schwarzen Tasten hinein wie abgedunkelt hinabsteigen, leuchtet das tonartlich entfernte, gegenüber der Nummer 4 mediantische E-Dur der Lindenmusik ganz unvorbereitet warm, es scheint die winterliche »Erstarrung« aufzubrechen. Hinzu kommt, wie Werner Breig vor Jahren einmal beiläufig bemerkte, dass »Der Lindenbaum« ein Lied ohne Subdominante ist, das heißt, ohne harmonische Tiefendimension. (Und man braucht sich nur Beethoven'sche Klaviersonaten oder Schumanns Lieder zu Ohren zu führen, um die Rolle der entwickelten Subdominante für den harmonischen Reichtum einer Komposition zu ermessen.)

Nun ist aber zugleich, wie Charles Rosen beobachtet[10], der »Lindenbaum« gegenüber den Nummern 1 bis 4 ein Lied in tiefer Tessitura, es steht wesentlich tiefer als die vorhergehenden. Der scheinbar so eindeutige Einsatz des Dur-Kontrasts ist also in einer anderen Satzebene bereits vermittelnd eingeschränkt. Das gilt auch für den Prolog, den man mit Thrasybulos Georgiades gern als Annäherung an eine Lauten-Intonation verstehen möchte. Das sensible Ohr wird aber bemerken, dass die Oberstimme des Präludiums nicht nur die Triolenbewegung von »Erstarrung« fortsetzt (und sie an das nächstfolgende Lied 6, »Wasserflut«, weiterreicht), sondern auch mit den Hochtönen ihrer Triolen das Hauptmotiv der Nummer 4 wörtlich zitiert.[11]

Die Erklärung »Laute« für den Prolog mag dadurch nicht tangiert sein, ist aber nicht mehr hinreichend: Triolenfigur und thematische Oberstimme des »Lindenbaum«-Prologs haben eine formale, besser: eine formgenetische Funktion. Das wird noch in das Liedinnere hinein verstärkt. Der einzige aus den strophischen Proportionen herausfallende Formteil, die etwas kürzere Passage, die den Ort der dritten Liedstrophe einnimmt, wird in Schuberts Vertonung zum alles sprengenden dramatischen Höhepunkt des Liedes gestaltet. Mit Takt 45 (»Die kalten Winde bliesen ...«) springt der Begleitsatz am abrupten Beginn von E-Dur nach C-Dur, malt mit Sforzato und fallenden Oktavgängen diese Reise durch Wind und Wetter, durchbricht also die musikalische

Strophenordnung, setzt sie bei aller Vermitteltheit ihrer Elemente für einen Augenblick außer Kraft. Harmonisch liegt der Strophe ein Wechsel der Zentren C-Dur und H-Dur zugrunde, eine durch das Vorspiel zur zweiten Strophe vermittelte (also aus dem Mollbereich stammende) Akkordvariante des Cis-H-Motivs. Die Stimme hat bei Übernahme des Melodierhythmus aus Strophe eins einen stark rezitativischen Charakter und riskiert bei der einzigen längeren Forte-Stelle des Liedes einen ausdrucksvollen Oktavsprung nach unten (»Der Hut flog mir vom Kopfe …«). Zugleich verschieben sich die Verlaufseinheiten Stimme und Klavier für einen Moment gegeneinander, diese Phrasenüberlappung wird durch periodisch zusätzliche Takte wieder ins Lot gebracht, die Strophe durch das poetisch malende Klavier gedehnt. So wird die eigentlich nur achttaktige Strophe vierzehn Takte lang und erreicht fast die Ausdehnung einer Großstrophe. An ihrem instrumentalen Ende könnte man auch von einem direkten Übergang in ein viertaktiges Klaviernachspiel sprechen, das in den Hornquinten mit Echo endet und so auf das Ende des Vorspiels zurückweist. Die Auflösung der Textur wird, wie Thomas Mann ganz beiläufig zeigt, erst durch die Wiederholung der vier letzten Verse ausbalanciert, »sodaß die Weise sich aussingen könne«. Übrigens hat Thomas Mann all dies im »Wohllaut«-Kapitel des »Zauberberg« mit außerordentlichem Gespür für musikalische Subtilitäten beschrieben[12]. Mann war es auch, der auf eine andere melodische Wendung mit besonderem Nachdruck verwiesen hat. »Diese zauberhafte Wendung«, schreibt

Mann, »der wir mit Worten nicht zu nahe treten mögen, liegt auf den Satzfragmenten ›So manches liebe Wort‹, ›Als riefen sie mir zu‹, ›Entfernt von jenem Ort‹.« Einmal ist dies die Stelle, an der die Subdominante A-Dur berührt wird, jedoch eher als Wechselnotenpaar denn als Funktion oder Stufe. Zweitens ist das Cis–H (hier terzenselig angereichert) Teil einer Kette von Erscheinungsweisen dieses Motivs, das sich als das eigentliche Agens der Form des Liedes erweist – wichtiger sogar als die Strophendisposition.

Form als Prozess

Trotz der Eleganz des Spiels mit der Strophenform, das Agens der Form dieses Liedes ist jenes rhythmisch prägnante und akzentuierte Zweitonmotiv Cis''–H', das zuerst, zur oberen Oktave abspringend, in Takt 2 erscheint. In Takt 4 erklingt es erneut, jetzt im Bass und bald chromatisch aufwärts geschärft zum His. So treibt es als Agent Provocateur die Figurationskette über den Zweitakter hinaus, bis sich aus der Rücknahme des Chromas vom His wieder zum H das Vorspiel mit dem restaurierten Motiv Cis–H zum offenen Dominant-Ende neigt.

Im Autograf ist abzulesen, dass in Takt 2 die Höherstellung des Motivs um eine Oktave ein zweiter, korrigierender Gedanke war, ante correcturam blieb das Motiv gleichsam versteckt in der mittleren Oktave, die Oktavierung ergibt ein wesentlich klareres Klangbild und ein Herausstellen des Motivs. Innerhalb der Strophe selbst lässt die von Thomas Mann als »zauberhaft« bezeichnete, mit Terzen angereicherte melodische Wendung mit dem Sforzato-Akzent in Gesang und Klavier (»[so] manches«) das Cis–H in Oktaven erklingen, bevor die gleichtönige Klavierfloskel die Strophe beendet. Das Zweiton-Motiv wird nun – über die Zwischenstufe der Mollstrophe mit ihrem C–H – im expressiven Ausbruch der dritten Musikstrophe und ihrer Terzrückung von E nach C zum zentralen Ereignis: Der gesamte Ausbruchsteil ist harmonisch nichts anderes als eine akkordische Figurierung des Sekundwechsels C–H, der aus dem Moll-Teil der zweiten Strophe stammt. Dabei ist der Klangwechsel von vornherein mit den Sechzehntel-Triolen des Klaviervorspiels gekoppelt, sie durchziehen wie Ketten den mittleren Tonraum. Diese Maßnahme verbindet das Vorspiel mit dem Ausbruchsteil in mehr als nur materialem Sinn, die Abhängigkeit ist, wie gerade gezeigt wurde, formgenetisch.

Erinnerung als Form

Mit dem Einsatz der Stimme erscheint, wie oben gezeigt, ein zweiter Satztyp, homophon-akkordisch; die Gesangsmelodie verdoppelt die Oberstimme eines quasi vierstimmigen Choralsatzes, das Ganze scheint eine klar periodisch gegliederte sechzehntaktige Liedstrophe zu sein. Aber der Eindruck des Naiv-Volkstümlichen trügt. Da steckt ein kalkulierter, ein artifizieller Fehler in der periodischen Struktur. So nämlich singt der Protagonist: Zweimal erklingt dasselbe Modell, mit dem betonten Grundton E schließend. Aber eigentlich sollte es anders sein, nach den Regeln nicht der Kunst, wohl aber des Handwerks. Ein Vordersatz sollte, gemäß der common practice, zum offenen Halbschluss auf der Melodie-Terz Gis zum Wortteil »-baum« führen, dann sollte der Nachsatz auf dem Tonika-Grundton E zu »Traum« schließen.[13]

Friedrich Silcher wollte es so richtig machen, daher korrigierte er Schubert.[14] Seine Bearbeitung für Stimme und Klavier nannte er »Volkslied«. Nach F-Dur transponiert und mit einem sehr einfachen, leicht spielbaren Klaviersatz unterlegt, erscheint hier Schuberts Melodie als reines Strophenlied, jede Strophe beginnt mit der korrekt gestalteten Periode, Vordersatz mit Halbschluss, dann Nachsatz mit Ganzschluss. Schubert aber reiht zwei schließende Nachsätze, ohne je den vorhergehenden Vordersatz zu bringen. Wiederum haben wir beim »Lindenbaum« die Doppelung von Usuellem und Artifiziellem, oder, noch einmal mit Thomas Manns Worten: »Volksgut und Meisterwerk zugleich«. Es geht darum, auf vielfältige strukturelle Weisen Vergangenheit zu berufen, Erinnerung zu gestalten, um die Gegenwart zu deuten.

Tod

Die suggestiven Lockungen der Linde aber haben eine letzte Dimension. Zunächst könnten sie als erotische

Verführung verstanden werden, die Brunnenlinde als Vorgängerin von Heines Loreley. Doch im Verlauf des Gedichts wird mehr und mehr ein anderes Motiv beherrschend; es ergibt sich aus der Verweigerung des Wanderers, der Zunahme des Konjunktivs, der Verbindung zum »Wiegenlied« in der »Schönen Müllerin« und der Endgültigkeit der »Ruhe« dort, schließlich auch aus der Atmosphäre des »Lindenbaumes«, dem Vorherrschen von »Dunkelheit« und aus der musikalischen Formung, der Gestaltung von Erinnerung[15], dem Choralton der zweiten Textur, der betörenden Klanglichkeit des wiederholten »Du fändest Ruhe dort«: Es ist der Tod. Oder, für den Protagonisten, die Selbstgefährdung durch den Suizid.

Thomas Mann hatte Recht, als er die Berufung des Todes als das Thema des Liedes angab, den Lindenbaum als eine Allegorie des Knochenmannes verstand. Während aber in den Müller-Liedern der Bach als Repräsentant von Natur Dialogpartner des Menschen ist, sein »Wiegenlied«-Versprechen am Ende reale Naturrede, ist die konjunktivische »Als ob«-Konstruktion im »Lindenbaum« Lesart des lyrischen Subjekts, Reflex seiner konsequenten Verinnerlichung von Lebenserfahrung. Schuberts und Müllers »Winterreise« kennt weder Natur noch Traum als Medien der Versöhnung. So gibt es im Zyklus auch keine Befreiung durch den Tod. Insofern isoliert Manns Interpretation das eine Lied aus dem zyklischen Zusammenhang und benutzt es in einem Akt partieller Rezeption für seinen Roman als Darstellungsmittel. Aber durch genaues Hören die Dimension des

Todes als Element der »Winterreise«-Programmatik erkannt und ausgeführt zu haben, wird als spezifische interpretatorische Leistung Manns anerkannt bleiben.

Im »Zauberberg« führt der Autor das Todesmotiv für den »Lindenbaum« mit aufwändiger Rhetorik ein, die er auf seinen Helden bezieht, dessen Schicksal vorbereitend: von »Sympathie mit dem Tode« ist da die Rede, von »Ergebnissen der Finsternis«, vom Helden, der sterben werde. Und dieser nimmt, auf dem allerletzten Schauplatz des Romans, dem des Krieges, die vernichtende Orgie der Kanonen für das Rauschen des Baumes, der Linde, wobei die gedehnten Vokale zeigen, dass er singt:

»Und seine Zwei-ge rau-uschten, / Als rie-fen sie mir zu – Und so, im Getümmel, in dem Regen, der Dämmerung, kommt er uns aus den Augen.«

So schließt der Roman das Buch über seinen Helden. Die Art seines Sich-national-Hingebens aber hat alle Züge eines Suizids.

Bearbeitungen

Es war im Jahr 1931, als Walter Benjamin in einem wenig beachteten Rezensionsaufsatz verlangte, dass die literaturgeschichtliche Interpretation das Kunstwerk in ein »Organon der Geschichte« verwandeln solle.[16] Das Werk selbst werde dann, während es sich in die Geschichte entfalte, ein Mikrokosmos, ja ein Mikroäon werden, das heißt, eine zeitlich und inhaltlich kondensierte Repräsentation von Welt und Geschichte, wobei das Erkenntnisziel Gegenwart durch die Spiegelung in der Vergangenheit dargestellt wird. Losgelöst von dem Autor, seiner Zeit und dem Ort wie den Umständen seiner Entstehung schreibt das Werk seine eigene Geschichte. Es ist deren Objekt und Subjekt.

Unter den Bearbeitungen sind die rein instrumentalen Arrangements für Klavier solo und mit überlegtem Text ästhetisch tonangebend. An der Spitze steht nach künstlerischem und pianistischem Anspruch die Fassung von Franz Liszt aus dem Jahr 1839. Liszt hat ja nicht nur Lieder von Schubert (immerhin 47), sondern auch von Beethoven (14), Mendelssohn (8), Schumann (11) und von sich selbst für Klavier solo arrangiert. Dabei dürfte ihn der Gedanke geleitet haben, durch ihre poetische Aussagekraft leicht kommunizierbare und zugleich wirkungsvolle lyrische Klavierstücke für den Konzertgebrauch zu gewinnen. Und natürlich waren Lieder um die Mitte des 19. Jahrhunderts noch keineswegs in öffentlichen Konzerten etabliert, ihre Programmierung als Klavierstücke war daher oft die Präsentierung von Novitäten, zumindest vor der Jahrhundertmitte. Außerdem stellte die Übertragung auf hohem Kunstniveau, so wie Liszt es verstand, interessante kompositorische Probleme; das Nachdenken über eine adäquate instrumentale Darstellung bestimmter Passagen des Liedes konnte zu kompositorisch innovativen Lösungen führen.

Obwohl die Programmstatistiken von Liszts Konzerttourneen durch Deutschland dies nicht bestätigen, wird weithin angenommen, dass Liszts Bearbeitungen wesentlich zur Durchsetzung, vor allem zur *europäischen*

Anerkennung von Schuberts Liedern beigetragen hätten, gerade angesichts der Tatsache, dass Liederabende nur langsam allgemeine Praxis wurden.[17] Natürlich könnten auch Studium und Verkauf der Notenausgaben dieser Arrangements zur Wirkung Schubert'scher Lieder beigetragen haben. Aber wie viele Amateurpianisten waren in der Lage, Liszts avancierten Klaviersatz zu exekutieren? Die Liedübertragungen haben Liszt vor allem als Komponisten herausgefordert. Beim »Lindenbaum« wird dies an zwei Momenten deutlich, einem qualitativen und einem eher quantitativen. Einmal erreicht Liszt eine ganz spezifische Klangwirkung dadurch, dass er die Melodie der ersten Strophe in die Tenorlage legt und sie durch Mezzoforte hervorhebt – eine Technik, die der berühmte »Liebestraum« Nummer 3 (circa 1850) ausbaut, wo die Melodie von den Daumen beider Hände gespielt wird, um die sonor ausschwingende Kantilene von den dafür freien Außenfingern mit Figurationen einhüllen zu lassen. Das andere, demonstrative Moment ist natürlich Virtuosität, Liszts Signum, das er bei seiner »Lindenbaum«-Bearbeitung bis zum Exzess führt. Er beginnt bereits zur Moll-Strophe mit chromatischen Bassläufen der linken Hand, also vor der mit kräftigen Figurationen gemalten »Wind«-Strophe. Offenbar ist dies mit einer Kritik an der harmonischen Anlage des Liedes verbunden, die Liszt wohl zu einfach war; so führt er in der letzten Strophe beim vorletzten »dort« anstelle von Schuberts E-Dur-Sextakkord eine Wendung nach cis-Moll ein, die gewaltsam erscheint und in ihrer Wirkung kurios bleibt.

Liszt hat auch zehn der bearbeiteten »Winterreise«-Lieder zu einem Zyklus zusammengestellt, mit Zwischenspielen und internen Korrespondenzen. Hieran ist abzulesen, wie das spätere 19. Jahrhundert die Zyklusidee verstand.

Doch war es nicht nur Liszt, der Schubert-Lieder für Klavier solo einrichtete. Fast am anderen Ende der Geschichte steht Conrad Ansorge (1862–1930) mit seiner auf 1921 datierten Sammlung »Meisterlieder für Klavier zu zwei Händen«, die neben dem »Lindenbaum« und drei weiteren Schubert-Liedern auch Liszts »Es muss ein Wunderbares sein« enthält. In einem Vorspruch betont der Autor, den man den »Metaphysiker« unter den Pianisten seiner Zeit nannte, dass er nach »Tonpoesien« gesucht habe, »die in ihrer Klangschönheit sich auch für Klavier allein eignen«. Diesem Prinzip, den Klang der originalen Version weitgehend zu erhalten, scheint Ansorge bis in die letzte Strophe hinein zu folgen; bis dahin ist die Übertragung fast rein reproduktiv.

Auch der Dirigent, Komponist und Autor Theodor Müller-Reuter (1858–1919) hat in seine Sammlung »Am Klavier« eine Übertragung des »Lindenbaums« aufgenommen. Eine Klavierfassung im »freien Satz« veröffentlichte der Berliner Männerchordirigent und Komponist Max Stange (1856–1932); Richard Günther gab seiner »Lindenbaum«-Paraphrase von 1908 die Opusziffer 125, Nummer 1. Und Johann Friedrich Carl Dietrich publizierte als sein op. 85 ein »Volkslieder-Album«, das eine »Auswahl der schönsten Lieder in brillanter Fantasie-Form für das Pianoforte übertragen« enthalten soll. Sogar die gesamte »Winterreise« wurde für Klavier solo umgeschrieben: zu zwei Händen zum Beispiel von dem auch sonst als Arrangeur sehr erfolgreichen Leipziger August Horn (1825–1893) und von dem in Berlin lebenden Komponisten Richard Metzdorff (1844–1919); zu vier Händen von Bernhard Brähmig sowie dem Sechter-Schüler und Wiener Hofkapellmeister Rudolf Bibl (1832–1902). Und dazu kamen Übertragungen für Violine und Klavier, Violoncello und Klavier, Waldhorn und Klavier, vier Violinen und Violoncello (allerdings als Silcher'sches Strophenlied mit Einleitung), Cornet Quartett (ebenfalls Einleitung und Silcher'sches Strophenlied), für die Zither, natürlich für diverse Chorbesetzungen, aber auch für Männerchor und Klavierbegleitung und manches mehr – die Bearbeiter sind durchwegs angesehene Musiker, zumeist durch den Eintrag in einer der frühen Auflagen des »Riemann Musiklexikons« ausgewiesen. Besondere Aktivität wurde noch durch das »Schubertjahr« 1928 hervorgerufen. Merkwürdig, dass eine Bearbeitung mit Harmonium fehlt. (Alma Mahler praktizierte die Kombination von Harmonium und Klavier, die vor allem in Frankreich beliebt war, in ihrem Hause und Alban Berg arrangierte eines seiner Altenberg-Lieder für diese Duo-Besetzung und ein zusätzliches Streichquartett.)

Vereinfachungen

Eine andere Gruppe von Bearbeitungen hat eine Gegen-
stoßrichtung zu Liszts Virtuosenstück. Es geht um demonstrative Vereinfachung.

Seit der zweiten Hälfte des 19. Jahrhunderts wurden
vor allem die zum Kanon der Meisterwerke zählenden
Kompositionen in erleichterten Ausgaben für den bürgerlichen Hausgebrauch hergerichtet und publiziert.
Dazu gehörten auch ausgewählte Lieder Schuberts und
Schumanns. Diese Liedbearbeitungen hatten einen anderen Zweck als die Legionen von Arrangements symphonischer Musik.[18] Der geringere Schwierigkeitsgrad
für die Exekution kann eine pädagogische Zielsetzung
implizieren oder vorrangig ökonomischen Strategien ge-
horchen, für den Amateurmarkt kalkuliert sein.

Die Arrangements symphonischer Musik dagegen er-
möglichten es im prämedialen Zeitalter vor allem Mu-
sikliebhabern in den vielen Orten ohne Orchester, sich
die groß angelegte neue Orchestermusik, vor allem
Symphonien, über das Spiel am Klavier oder im Ensem-
ble anzueignen – natürlich ohne die Farbdimension und
den dynamischen Ambitus der originalen Ausführung.
(So hat auch der Autor dieser Studie, der in einer Klein-
stadt aufwuchs, Mozarts und Beethovens Symphonien
durch das Vierhändigspiel kennen gelernt.) Die Lied-
transkriptionen dagegen zielen primär auf eine häusliche
Praxis von Amateuren, denen die Originale zu schwierig
sind.

Ein Arnoldo Sartorio (das scheint kein Pseudonym zu

sein; der Autor ist im »Riemann Lexikon« verzeichnet) zeichnet verantwortlich für einen 1897 bei Tonger in Köln erschienenen Band »Schuberts 91 beliebteste Lieder für mittlere Stimme mit erleichterter und den Vortrag unterstützender Klavierbegleitung«.[19]

Wie dieser Titel andeutet, sollte beiden geholfen werden: dem häuslichen Klavierspieler (respektive der Haustochter), indem das Lied oft in eine klavieristisch günstige Tonart transponiert und die Begleitung auf das gerade Nötigste reduziert wurde, und dem Sänger (respektive der Sängerin), indem das Begleitinstrument grundsätzlich in der rechten Hand die Melodie mitspielte, was dem Sänger die nötige Sicherheit im Nachzeichnen der Melodie gab. Solche Reduktion war der Preis, den Schuberts Lied zu zahlen hatte, als es endlich in den Kanon der Meisterwerke aufgenommen und viel musiziert wurde sowie vermarktet werden konnte.

Diese Zielsetzungen sind noch deutlicher, aber auch penetranter, beim Arrangement des Schumann'schen Eichendorff-Liedes op. 39, Nummer 1.

Der Verlag Tonger benutzte dieselben Druckvorlagen auch für seine Sammelausgaben, zum Beispiel für die im Taschenbuchformat erschienene Zusammenstellung von Liedern verschiedener Komponisten »75 beliebte Lieder für mittlere Stimme mit leichter Klavierbegleitung«. Im Übrigen ergibt sich bei den erleichterten Ausgaben und deren Begründungen das gleiche Spektrum wie bei den oben vorgestellten Bearbeitungen. Louis Kron veröffentlicht seine »Immortellen« op. 314, »12 Transcriptionen berühmter Lieder für Violine, mittel-

P. J. T. 1182

*Abb. 2: Vereinfachungen. Schuberts »Der Lindenbaum« in der
Fassung Arnoldo Sartorios. Dritte Liedstrophe.*

schwer bis zur 3. Lage, mit leichter Pianofortebeglei-
tung«. Theodor Oesten nennt sein op. 159 »Epheuran-
ken« und gibt eine pädagogische Begründung für die
Erleichterung: »Leichte und gefällige Klavierstücke
über beliebte Lieder, mit Rücksicht auf kleine Hände
komponiert«. »Der Lindenbaum« ist Nummer 3. Selbst
für vierstimmige Chorsätze gibt es vereinfachte Übertragungen, so in dem 1895 erschienenen Band »Über Fels
und Firn. Liederbuch für Hochtouristen«, den ein Toni
Lindner herausgegeben hat – ob das für eine Gipfelmu-
sik oder für den Abend in der Alpenhütte geschrieben
wurde, möge offen bleiben.
Die hier knapp belegte Praxis der Bearbeitungen auch für
ein so privates Genre wie das Klavierlied zeigt auf der einen Seite die Breite des häuslichen Musizierens und das

42

Abb. 3: Vereinfachungen. Schumanns »In der Fremde« op. 39, Nummer 1 in der Fassung Arnoldo Sartorios.

Interesse des Laien an der Teilhabe am vielfältigen Repertoire »klassischer Musik«, das sich im Laufe des 19. Jahrhunderts herausgebildet hat. Die Praxis zeigt aber auch die Kommerzialisierung dieser klassischen Musik und die Ausbildung eines Musikmarktes, an dem einstweilen wegen der bis in den Beginn des 20. Jahrhunderts fehlenden Copyright-Gesetze die Autoren selbst, die Komponisten, durchaus nicht den größten Anteil hatten.

Friedrich Silchers Männerchorlied

Unzweifelhaft, die geschichtlich, vor allem auch sozialgeschichtlich bedeutsamste Bearbeitung, selbst über diejenige Liszts hinaus, ist die Fassung des »Lindenbaums« für vier Männerstimmen a cappella. Sie ist auch die häufigste. Besonders einflussreich war die Version von Friedrich Silcher aus dem Jahr 1839[20]. Sie repräsentiert die herausragende und daher eigens benannte vierte Existenzform des »Lindenbaums«.

Mit dieser Art der Bearbeitung dringt das Kunstlied in die Sphäre der bürgerlichen Geselligkeit und Unterhaltungskultur ein. Es ist die Welt der singenden Freizeitinstitutionen, der Gesangvereine, Sängerbünde, der Musikfeste – ein weitgehend von Männern dominierter Bereich, der unmittelbar an die lokale Politik anschließt.[21]

Natürlich standen Geselligkeit und Rekreation nach der Tagesarbeit höher als die künstlerische Praxis. Man sollte allerdings nicht gering veranschlagen, was das Singen, Einstudieren wie Aufführen von Chormusik für die Pflege einer ausgleichenden Geselligkeit und eines humanen Miteinanders im deutschen Bürgertum des 19. und frühen 20. Jahrhunderts bedeutet haben. Andererseits waren das nationale Pathos und seine Pervertierung durchaus Teil dieser geselligen Sozialisation. Als zurechtgesungenes deutsches Volkslied wurde das Schubert'sche Lied mit anderen in diese national-pathetische Vereinsmeierei und die nationalistische politische Sphäre unweigerlich hineingezogen.

Zu Silchers Bearbeitung nur einige Hinweise und Gedanken. Es ist offensichtlich, dass es sich im Kern um einen dreistimmigen Satz handelt, der zur Vierstimmigkeit ergänzt wurde. Das im Silcher-Museum in Schnait bei Tübingen verwahrte Autograf für drei Männerstimmen in A-Dur ist vermutlich der Ausgangspunkt, die wahrscheinlich primäre Bearbeitung.

Die Satzart der dritten Strophe des »Lindenbaums« einerseits und die Konstitution eines Laien-Männerchors führen fast zwangsläufig zum Strophenlied, bei Silcher zum reinen Strophenlied, selbst Moll-Varianten unterbleiben. Um alle Varianten Schuberts aufzunehmen, wählt Silcher die reichste Melodiestrophe aus, das ist die letzte, mit Trugschluss und Wiederholung der letzten Textzeile. Das hat Konsequenzen: auch die erste und zweite Musikstrophe müssen die letzte Zeile wiederholen und die dritte und vierte Textstrophe werden zu einer einzigen Musikstrophe zusammengezogen. Wie beim Lied der Goethe-Zeit gilt ferner offenbar die Maxime, dass Ausdrucksvarianten einzelner Strophen oder Strophenteile nicht auskomponiert, sondern durch die Ausführenden dargestellt werden.

Silchers originale Notation kennt daher keine dynamischen Zeichen. Erst spätere Drucke, aus Zeiten der »verloren gegangenen Selbstverständlichkeiten« (Hugo Riemann) fügen entsprechende Aufführungsanweisungen beim Text, zeilenweise, hinzu. Natürlich wird für die dritte, die »Wind«-Strophe, mehrfaches Forte vorgeschrieben, fürs ruhige Ende umgekehrt mehrfaches Piano – was denn auch die ersten Tenöre beim schwierigen Weg hinaus aufs hohe B ins Falsett nötigt.

Aber Silcher geht weiter. Ich habe schon erwähnt, dass er Schubert korrigiert, indem er den nach dem Urteil der Formkonvention falschen doppelten Nachsatz der ersten Liedperiode in ein ordentliches Vordersatz-Nachsatz-Verhältnis verschlimmbessert: Die Melodie führt zum Reimwort »-baum« des zweiten Verses auf den Halbschluss Gis, statt wie bei Schubert bereits jetzt mit dem schließenden E zu enden.

Gleichzeitig ornamentiert Silchers Fassung diesen Moment durch eine punktierte Melodiefloskel, eine biedermeierliche Verzierung hinzufügend – als hätte der zweite Autor der klassischen Einfachheit seines Vorgängers nicht getraut. Und Schuberts nur für das Ende der Schlussstrophe aufgehobene Übersingfloskel zur Quinte setzt Silcher von vornherein (vgl. »süßen Traum«: bei Schubert von der Quarte A, bei Silcher von der Quinte F aus melodisch kadenzierend).

Diese Stelle aber kann auch als Beleg dafür genommen werden, dass Silchers Bearbeitung selbst wieder Ausgangspunkt für Arrangements zweiten Grades wurde. Dabei ist zu vermuten, dass die Adressaten dieser Fassungen dritter Hand den Ausgangspunkt, nämlich Schuberts originale Liedversion, oft gar nicht mehr kannten. Silchers »Lindenbaum«-Chorlied erscheint im »originalen« B-Dur ohne Namensnennung in der anonymen Publikation »Arion. Eine Sammlung von 80 Liedern für vierstimmigen Männerchor« (Verlag Glaser, Leipzig), von der die Berliner Staatsbibliothek ein Exemplar der zwölften Auflage bewahrt. Die Silcher'sche »Korrektur« Schuberts übernimmt Curt Rudloff für seine Ausgabe im Verlag der

Gebrüder Reinecke in Leipzig. Die Fassung des Brahms-Freundes Ernst Rudorff im »Kaiserliederbuch« dagegen bleibt in diesem Punkt Schubert treu und folgt Silcher nicht. Beide Versionen gibt es auch in Publikationen jenseits des Atlantiks. In der Sammlung von Männerchören, die John W. Tufts 1897 unter dem Titel »Polyhymnia« herausgab, steht der theoretisch »richtige« Halbschluss (nicht aber die punktierte melodische Floskel); die »Franklin Square Song Collection« von 1889 dagegen, die sich ansonsten keinesfalls durch einen einwandfreien Notentext auszeichnet, folgt Schuberts Original.

Was unterscheidet Silchers »Volkslied« von Schuberts »Kunstlied«? Zunächst das Fehlen der artifiziellen Momente der Komposition: vorab der Begleitsatz, alles, was das Instrument einbringt (einschließlich der Vor-, Nach- und Zwischenspiele), dann Strophenvarianten (Moll zum Beispiel). Hier darf man einhalten und festellen, dass Schubert doch relativ viel der artifiziellen Momente dem Klavier anvertraute und Silcher so durch die einfache Maßnahme der Eliminierung des Klaviers bereits die Volkstonsphäre betreten kann. Und mit Ausnahme der dritten Musikstrophe lässt sich auch das akkordische Satzprinzip (Buddes Charakter: »Choral«) leicht ins Volksliedartige übertragen. Andererseits stehen die Erinnerungsperspektive der musikalischen Form (Vergangenheit, Geschichte) und das agierende Zweitonmotiv dieser Vereinfachungstendenz schroff gegenüber. Ein wichtiges Resultat der Verwandlung vom Kunst- ins Volkslied ist, dass die singende Einzelstimme zum einstimmig singenden Kollektiv wird.

Entscheidend ist nun für unseren Zusammenhang und die Konzentration auf den Schubert'schen »Lindenbaum« das Hineinziehen des Kunstliedes in die Praxis der deutschen Männerchorbewegung. Die Verbindung stiftet die Bearbeitung.

Deutsches Männerchorlied und deutsch-nationale Ideologie

Die epochemachenden Anfänge des deutschen Männerchorliedes sind im Norden mit Zelter verbunden (Berliner Liedertafel seit 1808), im Süden mit Nägeli (Männerchor Zürich seit 1810). Nach dem Vorbild dieser Singe-Gemeinschaften nahm die Zahl der Männerchöre rapide zu. Die accelerando wachsende bürgerliche Musikkultur mit ihren immer mehr »verwalteten«, das heißt rational durchorganisierten Institutionen, ihren Marktmechanismen und ihrer In-Dienst-Stellung der Kunst aller Schichten für (rechts)nationale bis (links)soziale politische Zwecke ergriff auch das Singen und lenkte es in vorbestimmte Bahnen.

Institutionell sind die Gesangvereine nur ein Ausschnitt aus einem breiten Spektrum bürgerlicher Vereinsgründungen, die nach der Niederwerfung Napoleons und nach dem Wiener Kongress aus dem Boden schossen und politische, soziale, kulturelle, religiöse, populärwissenschaftliche und andere Zielsetzungen hatten – auch hier sei der Faktor Geselligkeit nicht unterschätzt.

Kein Geringerer als Max Weber hat bei seinem programmatischen Umriss einer »Soziologie des Vereins-wesens« gerade die deutschen Gesangvereine genannt, um die Unvermeidbarkeit des Eindringens »weltanschauungsmäßiger« Inhalte in die Vereinspraxis wie auch umgekehrt den Grad der Außenwirkung solcher Vereine in den Bereich der Politik hinein zu demonstrieren.[22]

Die Zusammenschlüsse dieser zunächst vornehmlich aufgrund privater Initiative entstandenen Singe-Gemeinschaften aller Couleur zu Vereinen auf Orts-, Kreis-, Landes- und Reichsebene mit ihren Satzungen, die Wettbewerbe, Regionalfeste, die verbandseigenen Notenbände, die das Repertoire standardisierten und steuerten – all das hat dazu beigetragen, dass die Gesamtheit der Chöre binnen kurzem eine Massenbewegung darstellte. Im Jahr seines ersten Bundesfestes in Dresden 1865 zählte der Deutsche Sängerbund bereits 54.000 singende Mitglieder; dem Festumzug sollen in Dresden 150.000 Menschen zugesehen haben. Ferdinand Hand hat die gesellige Praxis der Männerchöre und vor allem die kompositorische Qualität der gesungenen Sätze kritisch gesehen:

»Der gesellige Betrieb der Musik in Liedertafeln und Singvereinen hat vierstimmige Lieder, namentlich für Männerstimmen, in Überzahl durch alle Gegenden Deutschlands verbreitet, und doch wie Wenige zeichnen sich durch originelle Erfindung und geistreiche Charakterisierung aus, wie Wenige geben den Inhalt der Worte wahr und treu entsprechend wieder! Die Mehrzahl, als Tafellieder, Trinklieder, setzen die fröhliche Stimmung schon voraus, statt sie zu wecken, da

begnügt sich der Mensch auch mit geringerer Kunst.«[23]

Als zurechtgesungenes deutsches Volkslied oder volkstümliches Lied wurden auch Kunstlieder, darunter der Schubert'sche »Lindenbaum«, in diese national-pathetische Vereinsmeierei und die nationalistische politische Sphäre unweigerlich hineingezogen.

Otto Elben, der frühe Chronist der Männerchorbewegung und zugleich ihr engagierter Advokat, nennt zwei erklärte Ziele seines Verbandes: die Bildung des Volkes durch den Gesang und die Entwicklung und Stärkung des deutschen Nationalbewusstseins durch das deutsche Lied.[24] Das Singen von Liedern, und solchen mit patriotischen Texten zumal, der suggestiv-einheitliche Vollzug dieses Aktes der Selbstentäußerung zugunsten des Kollektiven sowie das gesellige Vereinsleben wirkten als Ersatz für die nationale Einheit, deren Vollzug aufgrund der restriktiven Politik der Staaten des Wiener Kongresses nicht verwirklicht wurde. Aber sie schufen jene Form gewollter und vorgestellter nationaler Identität, die dem Nationalbewusstsein das Überwintern ermöglichte und die nationale Einheit als Idee antizipierte, wiewohl die reale Verwirklichung ausblieb und weit ins Jahrhundert hinein weiterhin ausbleiben würde. (Und die dann anders ausfiel, als es die demokratische Nationalbewegung erwartet hatte.) Was die politische Wirklichkeit verwehrte, wurde im Liede vorauserlebt. Natürlich blieb gleichzeitig das antinapoleonische, sprich antifranzösische Sentiment aktuell und wirkungsmächtig. »Deutsche Einheit – im Liede« überschreibt Otto

Elben das Kapitel seines Buches über das deutsche Sängerfest zu Nürnberg 1861. Tatsächlich ist die nationale Ersatzrhetorik während des Nürnberger Festes und in den Berichten davon überbordend. Lied und Gesang scheinen völlig eingebunden in den Dienst am Nationalen. Das nimmt nicht wunder, denn bereits in der Satzung des Deutschen Sängerbundes steht der folgende Paragraf:

»Durch die dem deutschen Liede innewohnende einigende Kraft will der deutsche Sängerbund in seinem Theile die nationale Zusammengehörigkeit der deutschen Stämme stärken und an der Einheit und Macht des Vaterlandes mitarbeiten.« (Elben S. 272/3)

Verräterisch ist hier das Wort »Macht«, auch das militante Vokabular der Festrede für das zweite Bundesfest 1874 in München hat sich politisch verselbständigt:

»Das Lied hat zur That gedrängt, es drückt uns das Schwert in die Faust. Wir sind ein einiges, großes, gebietendes Volk geworden. Es beugt sich die Welt nicht nur vor dem deutschen Geist, auch vor der deutschen Macht, Gott segne alle, die uns das erringen halfen! Gott segne das deutsche Lied, das da mitfocht in den Reihen der Triarier für die Einheit und Größe des geliebten deutschen Vaterlandes.« (Elben, S. 193/4)

Ansprachen, Sängergrüße und Liedtexte zum Sängerfest Nürnberg 1861 sind in einem Erinnerungsbuch veröffentlicht worden – eine aufschlussreiche Sammlung vaterländischer Bekenntnisse und nationalistischer Phrasen, aus denen das Kontrafaktum »Frisch auf! Frisch auf zum Siegen!« in seiner militanten Direktheit herausfällt und auch das Gedicht »All-Deutschland« sofort auf Feindschaft, Krieg und Sieg setzt.

Dass die Frage einer nationalen Identität und deren Entwicklung im Laufe des 19. Jahrhunderts in deutschen Landen ideen- wie ideologiegeschichtlich eine außerordentlich komplexe Kategorie darstellt, hat jüngst Brian E. Vick[25] in einer vorzüglichen Studie gezeigt.

Die Idee der Identität reicht über staatlich-konstitutionelle Vorgaben und über das Politische weit hinaus und umschließt Bildung, Religion und Recht ebenso wie den Aufbau eines nationalen Gedächtnisses als Voraussetzung für das Erlebnis der Erinnerung eines gemeinsamen Erbes und das Bewusstsein der Mitgliedschaft in der nationalen Kommunität. Insofern der Nationalismus eine liberale Grundlage besaß, gehörten eine freie Presse, Vereine, Festivals und Erziehungsprivilegien für alle Bürger zur Idee der deutsch-nationalen Identität.

Gegenüber solchen Ansprüchen erscheint der Nationalismus der deutschen Chorbewegung mit seiner Konzentration auf die beiden politischen Momente der Einheit und der Feindschaft gegen Frankreich eher engstirnig, wenngleich die Stoßkraft der auf einige wenige, immer wieder eingehämmerte Sätze und Worte reduzierten Kundgaben durch deren Enge umso stärker war.

Ganz entscheidend ist auch eine geschichtliche Differenz. Beim frühen Streben nach Einheit standen die demokratischen Ideale im Zentrum, vor allem die Freiheitsidee, das Verlangen nach einer parlamentarischen Beteiligung an Herrschaft und Repräsentation. Jetzt, später im Jahrhundert und in den Jahrzehnten der Kriege Preußens gegen Österreich und Frankreich, geht es um »Macht und Ruhmesherrlichkeit«. So bleibt es denn auch nicht beim Demonstrieren für die nationale Einheit und die bürgerlichen Freiheiten, sondern das zu erreichende Vaterland wird sofort in machtpolitischen Kategorien vorgestellt. Es ist bestürzend zu sehen, wie ein doch offenbar keineswegs unkritischer Otto Elben die zusammenfassende These vertritt, dass

> *Staatskunst und Schwert ausführten, was in Nürnberg allerdings nur gesungen werden konnte« (168).*

Der eiserne Kanzler und das deutsche Chorlied

Kein Geringerer als Otto von Bismarck, der »eiserne Kanzler«, hat als alter Mann in Ansprachen vor Gesangvereinen die Darstellung vom politischen Charakter der Chorbewegung bestätigt – und zwar in drastischer Weise. Das deutsche Lied hat nach Bismarck geholfen, den nationalen Gedanken hochzuhalten und zu stärken, den »Erbfeind« Frankreich zu besiegen und damit zugleich die deutsche Einheit zu erwirken:

> *Und so möchte ich das deutsche Lied als Kriegsverbündeten für die Zukunft nicht unterschätzt wissen, Ihnen aber meinen Dank aussprechen für den Beistand, den die Sänger mir geleistet haben, indem sie den nationalen Gedanken oben erhalten und über die Grenzen des Reiches hinausgetragen haben ...«*
> *(1895, S. 294)*

»Die gemeinsamen Taten im Felde gegenüber dem Angriff des Erbfeindes, der unsere Nationalität bedrohte und unsere Einheit zu zerstören das Bedürfnis hatte, die Mischung von Blut, Wunden und Tod auf dem Schlachtfeld von St. Privat hat den Kitt gebildet, der uns unzerreißbar zusammenhält ...«[26] (1885, S. 436)

Bei Bismarck erscheint so der patriotisch-vaterländische Ton der frühen Nationalbewegung endgültig ins Chauvinistische verzerrt. Und es ist ebenso charakteristisch wie bestürzend, dass Bismarck das Lied seinen »Kriegsverbündeten« nennt und nicht seinen Partner für den Frieden.

Zwei volkstümliche Lieder hebt Bismarck in seinen Ansprachen vor Gesangvereinen besonders hervor: das Becker'sche »Rheinlied« und »Die Wacht am Rhein« von Max Schneckenburger. Beides sind politische Lieder und beide haben seit den frühen vierziger Jahren bis zum Krieg gegen Frankreich von 1870/71 ihre gewollte nationalistische, frankreichfeindliche Rolle gespielt. In beiden Fällen ging es um Frankreichs tatsächlichen oder vermeintlichen Anspruch auf das linke Rhein-Ufer. Nicolas Becker ist der Textdichter von »Sie sollen ihn nicht haben, den freien deutschen Rhein«. Dieser Text hat seit seiner Veröffentlichung im September 1840 eine enorme Zahl von Vertonungen gefunden, doch wurde keine Melodie endgültig mit ihm identifiziert. Der Redakteur der *Allgemeinen musikalischen Zeitung*, Gottfried Wilhelm Fink, beschreibt die Situation und schließt eine Mahnung an (AmZ 1841, Sp. 191f.):

»Nichts desto weniger hat fast jede Stadt und beinahe jeder Musikzirkel eine besondere Melodie für sich, die ihr besonders gefällt ... Vergeblich wäre eine kunstgerechte Beurteilung ... Die Wahl gehört dem Volke, das auch in der Tat sehr gut weiß, was Zungen- und Schwertspiel ist. Es dürfte daher für beide Völker kein sonderlicher Gewinn sein, wenn sie sich schon wieder in tatsächlicher Entzündung begrüßen woll- ten. Man sollte denken, sie kennten gegenseitig ihre Kräfte hinlänglich und die Folgen auch.«

Im »Kaiserliederbuch« wurde Schumanns Version abge- druckt. Loewe und Kreutzer haben den Text ebenfalls vertont. Mendelssohn hat das abgelehnt. Sein Brief an den Bruder Paul vom 20.11.1840 schließt wie folgt:

»Zugleich haben Härtel's sagen lassen, wenn ich's für sie komponieren wollte, so getrauten sie sich, 6000 Exemplare in zwei Monaten abzusetzen. Nein Paul – das thue ich nicht.«

Gerade auch das Populär-Patriotische ist Geschäft.

Auf das Lied Beckers hat Alfred de Musset mit sei- nem Gedicht »Le Rhin allemande« geantwortet, auch Lamartines »Friedensmarseillaise« bezieht sich auf Becker. Heine hat in »Deutschland, ein Wintermärchen« sarkastisch auf Becker reagiert, Hoffmann von Fallersle- ben mit milder Ironie.

Dagegen hat »Die Wacht am Rhein« ihre eine Melo- die gefunden (Karl Wilhelm 1854, »Kaiserliederbuch« I, 128), ein äußerlich auftrumpfender Gesang, der Einheit und Gewalt darstellende Unisono-Beginn, dazu ein paar chromatische Schritte inmitten eines einfachen akkordischen Satzes, gar ein vorübergehendes »dolce« zur Beruhigung; dann kurze Oktavläufe der Unterstimmen zu dem mit aller Kraftanstrengung kulminierenden Strophenschluss. Wie Bismarck betont, hat die »Wacht am Rhein« vor allem in der Vorbereitung des Krieges und im aktuellen Feldzug gegen Frankreich ihre Wirkung gehabt – eine militante.

WO ABER BLEIBT SCHUBERT? Wo ist der »Lindenbaum« in diesem Panorama des deutschen oder des österreichischen Nationalismus? Hier haben Sie den Wiener Anschluss – mit und durch Schubert.

Schreiben wir das Schubertjahr 1928, hundertjähriger Todestag, hundert Jahre »Winterreise« – vom 19. bis 23. Juli fand das 10. Deutsche Sängerbundesfest in Wien statt. Nach Wien vergeben worden war dieses Fest wegen des Schubert Centennariums, das war jedenfalls die offizielle Begründung. Was sich tatsächlich abspielte, lässt aber vermuten, dass von Beginn an eine reduzierte Schubert-Ehrung (nur zwei Werke, davon eine Bearbeitung) benutzt werden sollte für eine Manifestation, nicht eine kulturelle, sondern eine politische Kundgebung größter Resonanz für die Vereinigung Österreichs mit Deutschland.[27]

Wilhelm von Wymetal, der Berichterstatter für die *Allgemeine Musikzeitung,* schreibt denn auch: »Das 10. Deutsche Sängerbundesfest war ein nationales, politisches, gesellschaftliches und auch musikalisch-künstlerisches Ereignis« (S. 894).[28] Das ironische »und auch« bestätigt den Primat der Politik. Heinrich Kralik fällt ein ganz ähnliches Urteil, wenn er schreibt, dass »unter der Last der politischen, gesellschaftlichen und kulturgeschichtlichen Umhüllung der musikalisch künstlerische Kern der Sache zu ziemlicher Bedeutungslosigkeit zusammenschrumpfte.«[29] Nach Art und Verkündung der Thematik erscheint das Wiener Sängerfest wie die Erfüllung der Botschaft seiner Vorgänger in Nürnberg oder München. Die Musik war gegenüber dem Nationalen endgültig ins zweite Glied gedrängt. Ganz im Zentrum stand das Problem nationaler Identität, das heißt eine Korrektur der Bismarck'schen kleindeutschen Lösung von 1871 und die Forderung nach dem Zusammenschluss von Deutschland und Österreich. Dafür gab es die Vokabel »Anschluss«, positiv verstanden und benutzt auch als Bestimmung von Parteiprogrammen. Der »Anschlussgedanke schwang als Unterton in allen rednerischen und musikalischen Auslassungen der Tage mit«, berichtet Emil Petschnig[30], wobei vor allem der zweite Teil dieser Bemerkung wichtig ist: Auch die Musik wurde zur Förderung des Anschlussgedankens eingesetzt. Der Terminus »Anschluss«, den wir gemeinhin auf Hitlers Einmarsch 1938 zu beziehen pflegen und so negativ verstehen, wird also bereits Jahrzehnte früher positiv als politische Forderung verwendet. Und das Sängerfest Wien 1928 war offenbar die »mächtigste, riesenhafteste, hinreißendste deutsch-österreichische Anschlusskundgebung seit den Friedensschlüssen von Versailles und St. Germain« (Wymetal, S. 894). Nicht nur die Regierten sangen und forderten die Einheit, auch die Regierenden stimmten dem in ihren Reden grundsätzlich zu – etwas weniger direkt als die Sänger, deren (deutscher) Präsident ohne Umschweife erklärte, »Österreich sei stets ein deutsches Land, Wien immer eine deutsche Stadt gewesen« (zitiert nach von Wymetal, S. 895) und niemand werde »den Heimfall Österreichs an Deutschland verhindern« können. Dagegen erklärten die österreichischen Politiker mit Bundeskanzler Seipel an der Spitze, der geistig-kulturellen Gemeinschaft werde früher oder später gleichsam naturnotwendig auch der »politische Anschluss« folgen.

Und in diesem Kontext erscheint jetzt Schubert, erklingt der »Lindenbaum«. Eine riesige Holzhalle von 185 Meter Länge und 110 Meter Breite wurde eigens für die Hauptkundgebungen des Fests errichtet, sie fasste 35.000 Sänger sowie 40.000 Zuhörer. In dieser großen Sängerhalle waren die zwei so genannten »Hauptaufführungen« Schubert gewidmet. Es erklangen der Doppelchor »Hymne« und – von 35.000 Sängern intoniert – Schubert/Silchers »Lindenbaum«.

Es blieb Ernst Krenek vorbehalten, die Dinge in öffentlicher Rede zurechtzurücken. Krenek führt unter anderem aus, Schubert werde zu einer »großdeutschen Plakatfigur« und ein phantastischer Triumphzug der Mittelmäßigkeit gehe vonstatten. Ausgerechnet er müsse »zum Plakat für die staatlich-rechtliche Einigung der Deutschen herhalten«, Schubert, der »alles Typische des Österreichers hervorragend deutlich aufweist«. Die Ineinssetzung von kultureller mit politischer Identität ist in der Tat der springende Punkt.[31] Heinrich Lutz hat die schwierige Lage knapp, aber einfühlsam dargestellt, in die die österreichische Psyche – wenn man so formulieren darf – nach der Niederlage von 1866/67 und durch den Frieden von Nikolsburg mit seinem berühmten Paragrafen IV geriet, als erstmals in einer vielhundertjährigen Geschichte »Deutschland« ausdrücklich »ohne die Beteiligung des österreichischen Kaiserstaats« definiert wurde.[32] Das Gefühl des Ausgeschlossenseins radikalisierte die nationale Ideologie und ließ die »ideologische Verwilderung« (Lutz, 482) wachsen: völkische Orientierung, militanter Antisemitismus und nordische Rassenlehre besetzten die Hohlräume und führten zu den Katastrophen von Weltkrieg und Drittem Reich.

*

Hier könnte die Bestandsaufnahme enden. Doch ist dies nicht die ganze Geschichte. Denn selbstverständlich ist die Art, in der Thomas Mann den »Lindenbaum« in seinem Roman »Der Zauberberg« benutzt, ebenfalls eine Existenzform des Schubert'schen Liedes, das hier eine mögliche Lesart seiner selbst entfaltet, die den Gehalt des Romans aufschließen soll, insbesondere, wenn am Romanschluss das Lied in einer kritischen Weise mit Krieg, Nationalismus und Suizid in Verbindung gebracht wird.

Symbolische Form: »Der Lindenbaum« im »Zauberberg«

In Thomas Manns »Zauberberg« wächst Schubert/Müllers »Lindenbaum« Symbolcharakter zu. Das Lied fungiert im Positionengeflecht des Romans als Repräsentation des Deutsch-Nationalen, ob nur einer deutschen »National-kunst« (wie Hans Rudolf Vaget[33] vorsichtig den Geltungs-bereich der symbolischen Repräsentanz eingrenzt) oder des Deutsch-Nationalen überhaupt, mit seiner ideologi-schen Übersteigerung und politischen Pervertierung (wie es offensichtlich Stefan Bodo Würffel annimmt[34]), muss entschieden werden. Mir scheint die Annahme einer über die Kunst hinausgehenden Repräsentanz unausweichlich.

Thomas Mann hat diese Identifikation des »Linden-baums« mit dem Deutsch-Nationalen bekanntlich kom-mentiert, künstlerisch kommentiert durch die zweifache Einbindung des Liedes in die Konstruktion seines Ro-mans »Der Zauberberg«. Beide Passagen sind von großem sprachlichen Aufwand und außerordentlicher Intensität. Der erste Hinweis geschieht zunächst fast beiläufig. In der eingangs zitierten Erzählung von Castorps Lieblingsschallplatten aus dem »Wohllaut«-Kapitel des Romans, dem ersten Attraktionspunkt der »Lindenbaum«-Episode, wird dieses Lied als geradezu »exemplarisch« deutsch beschrieben. In der für die deut-sche Sicht der politisch-kulturellen Szene des späten 19. Jahrhunderts typischen Weise wird dabei das Deut-sche als das Nicht-Französische, dann auch als das Nicht-Theatralische eingeführt (die im vorhergehenden

Kapitel diskutierten politischen Wertungen der Männerchorbewegung!). Das Lied, so möchte man glauben, das
ist die reine Lautwerdung deutscher Innerlichkeit. Kern
der lyrischen Verinnerlichung, die sich jetzt nach außen
kundgibt, ist jene »Sympathie mit dem Tode«, die beide,
der durch die Todeslandschaft wandernde Protagonist
der Liederfolge und der den Tod fürs Vaterland erwar-
tende Held des Romans, bezeugen.

Thomas Mann macht aber ganz deutlich, dass für den
Romanautor diese Identifikation des Liedes mit dem
Tode ein Resultat des geschichtlichen Prozesses ist.
(Mann gibt, daran sei noch einmal erinnert, keine Ge-
samtinterpretation der »Winterreise«, sondern benutzt
eines der Lieder als Metapher für eine geschichtliche
Konstellation.) Das Lied, so heißt es,

> »mochte seinem eigenen ursprünglichen Wesen nach
> nicht Sympathie mit dem Tode, sondern etwas Volks-
> tümlich-Lebensvolles sein, aber die geistige Sympa-
> thie damit war Sympathie mit dem Tode – lautere
> Frömmigkeit, das Sinnige selbst an ihrem Anfang, das
> sollte auch nicht im Leisesten bestritten werden; aber
> in ihrer Folge lagen Ergebnisse der Finsternis«
> (S. 906).

Die Folgen des Bündnisses der deutschen Romantik mit
dem Nationalen, bereits die Heiligsprechung ihrer Ur-
sprungsmythen, die Ideologisierung ihrer Symbole
(»Ein so wunderherrliches Lied! Reines Meisterwerk,
geboren aus letzten und heiligsten Tiefen des Volksge-
müts«, S. 905) führen am Ende in die Katastrophe.

Denn ganz am Schluss des Romans, beim zweiten

Attraktionspunkt, erscheint das Lied noch einmal, jetzt inmitten des »Weltfests des Todes«, dem Krieg von Weltdimensionen, dem insgeheimen Ziel seiner geschichtlichen Bestimmung, das, wofür es zum Symbol gemacht wurde und wofür es stand. Die Genugtuung über »den Zusammenbruch einer Friedenswelt, die er so überaus satt hatte«[35], die hysterische Kriegsbegeisterung und das chauvinistisch verzerrte »Über alles«-Gefühl der Deutschen ergeben den blinden Hurrapatriotismus, mit dem die Jugend der Nation 1914 in den Krieg zog. Castorp gehört dazu. Mitten im Kanonenhagel der großen Flandern-Schlacht, über verschlammte Äcker, durch morastigen Wald, neben toten Kameraden, auf sie tretend, treibt es ihn vorwärts – und er singt!

> *»Wie man in stierer, gedankenloser Erregung vor sich hinsingt, ohne es zu wissen ... halblaut ... bewußtlos« singt Castorp, nein: nicht die nationale Hymne, nicht »Deutschland über alles«, nicht »Die Wacht am Rhein«, sondern das Lied vom »Lindenbaum«. Das Lied ist ihm Vaterland, daher kann der Romanautor auch das Kontrafaktum wagen, es sei »wert, dafür zu sterben, das Zauberlied!« (907).*

Hier ergibt sich eine direkte Verbindung zur Männerchorbewegung und die Benutzung des Liedes als Ersatz für politische Realität. »Deutsche Einheit – im Liede« war die zentrale Kapitelüberschrift in Elbens Darstellung des »volkstümlichen deutschen Männergesangs«. Das ist es bei Hans Castorp: »Der Lindenbaum« ersetzt das »Deutschland über alles«. Und aus dieser Perspektive ist Thomas Manns Einbringen des Liedes in die

Schlachtszenerie seines Romanschlusses ein Verdikt über den deutschen Nationalismus und seine Folgen, ist »ein Stück deutscher Selbstkritik« (Thomas Mann 1945[36]). Wie immer man musikologisch über diese Benutzung des Liedes, die ja auch eine Interpretation ist, urteilen möchte, der Suizid, zu dem Castorp in der Flandern-Schlacht offenbar »bewußtlos« bereit wäre, ist im Lied vom »Lindenbaum« selbst, in seiner literarischen Existenzform bereits vorgebildet und erlangt im Kunstlied Schuberts symbolische Qualität. Allerdings: Schubert, das ist Kunstlied, Sololied, nicht aber vierstimmiger Männerchor, möchte man einwenden. Und doch: Gerade »Der Lindenbaum« mit seiner ästhetisch-gattungsmäßigen Mittelstellung, »Volksgut und Meisterwerk zugleich«, und mit der Geschichte seiner Rezeption legt eine solche Benutzung nahe. Wäre es dies Pars pro Toto, einschließlich der hier in einen Paragrafen gepressten Versöhnungsgeste durch das Wagner-Kolorit, dann müsste man die deutsche Musikkultur als ein Substitut für deutsche Geschichtsauffassung und Politik denken und praktizieren dürfen. Das aber wäre in meinen Augen ein Zurückweichen, nein: ein Ausweichen vor der Realität.

Außerhalb dessen, was dem Schubert-Lied hier als einem Teil der deutschen Geschichte geschieht, sei abschließend angemerkt, dass der allerletzte Schluss des Romans mit der Frage nach der Liebe, die aus dem Feuerinferno des Krieges aufsteigen könne, in typisch Thomas-Mann'scher Weise dem Roman – und damit wieder einem Teil der deutschen Geschichte – eine Prise Wag-

ner'schen Versöhnungs- (sprich Erlösungs-)Denkens zu-
führt. Der souveräne Erzähler schließt den Roman mit
einer Anrede an seinen Protagonisten:

>>*Lebewohl, Hans Castorp, des Lebens treuherziges
Sorgenkind! Deine Geschichte ist aus. [...] Fahr
wohl! – du lebest nun oder bleibest! [...] Augenblicke
kamen, wo dir aus Tod und Körperunzucht ahnungs-
voll und regierungsweise ein Traum von Liebe er-
wuchs. Wird aus diesem Weltfest des Todes, auch aus
der schlimmen Fieberbrunst, die rings den regneri-
schen Abendhimmel entzündet, einmal die Liebe stei-
gen?*<< (994)*

Die Literaturwissenschaft hat (wie immer, wenn Thomas
Mann durch Wagner hindurch dargestellt wird, zähne-
knirschend) Hans Rudolf Vagets Interpretation akzep-
tiert, dass der >>Traum von Liebe<< im Bilderkontext der
Schlussszene mit sprachlichen Mitteln das Finale der
Wagner'schen Götterdämmerung zitiert, jene große Ora-
kelmelodie aus dem Orchestergraben, der das Volk, das
auf der Szene verbleibt, fragend lauscht. Ich stimme Vagets aus dem Text mit feinem Ohr herausgespürter These grundsätzlich zu. Die feurige >>Fieberbrunst<<, die die
Szene >>rings<< einschließt und aus der heraus >>einmal
die Liebe steigen<< wird, spiegelt bis in Einzelheiten den
rätselhaften Schluss der Tetralogie – hörend sieht man
förmlich, wie aus dem Klang des nun im Feuer erglühen-
den Walhall das so genannte Erlösungsmotiv empor
>>steigt<<). Ich würde aber einige modifizierende Beob-
achtungen hinzufügen wollen. Zunächst: Der Wagner-
Tonfall der >>Zauberberg<<-Prosa beginnt mit dem vorletz-

ten Absatz des Romans, dem »Lebewohl ...«. Und dies »Lebewohl, Hans Castorp, des Lebens treuherziges Sorgenkind« ist eindeutig ein leicht ironischer Reflex der Abschiedsworte Wotans an Brünnhilde vom Ende der »Walküre«, der Beginn seines großen Monologs vor dem Feuerzauber: »Leb wohl, du kühnes, herrliches Kind!«

Von dieser Parallele her wird der Feuerwall des Krieges ein Gegenstück zu Loges Phantasmagorie am Ende der »Walküre«. War in den »Lindenbaum«-Passagen starke Kritik an der Verherrlichung des Krieges angesagt, so schwächt die hoffnungsvoll-versöhnliche Geste des so genannten Erlösungsmotivs aus dem »Götterdämmerung«-Finale diese Kritik bereits wieder ab, vor allem mit der Berufung einer »traumhaften Liebe« als dem letzten Wort. Eine erneut veränderte Situation ergibt sich, wenn man das Verhältnis Wotan–Brünnhilde aus dem Ende der »Walküre« miteinbringt.

Aber das wäre eine weitere Geschichte.

Anmerkungen

1 Thomas Mann, Der Zauberberg, Frankfurt/Main 1959, S. 883. Im Folgenden werden die Seitenzahlen im Text nachgewiesen.

2 Robert Schumann's Kinderscenen mit Text von Lorenz Fels und Singstimme von Heinrich Hofmann, Berlin o. J. Vorhanden in der Deutschen Staatsbibliothek Berlin, Deutsche Musiksammlung.

3 Wilhelm Müller an Bernhard Joseph Klein, 15. Dezember 1822. Zitiert nach Wilhelm Müller, Werke. Tagebücher, Briefe, hrsg. von Maria-Verena Leistner, Bd. 5, Berlin 1994, S. 237. Vgl. auch Müllers Tagebuch-Eintrag ebenda, S. 10.

4 Da der Liedbegriff doppelt ausgelegt ist, greife ich an Stellen, an denen es ums Definieren geht, oft zur Unterscheidung eines literarischen von einem musikalischen Lied.

5 Art. »Bearbeitung« in: Riemann Musiklexikon, Sachteil, Mainz 1967, S. 90ff.

6 Otto Erich Deutsch (Hrsg.), Franz Schubert. Die Erinnerungen seiner Freunde, Leipzig 2/1966, S. 160ff.

7 Allgemeine musikalische Zeitung, 31, 1829, Sp. 654.

8 Zuletzt zusammenfassend: Elmar Budde, Schuberts Liederzyklen. Ein musikalischer Werkführer, München 2003, S. 81ff.

9 Charles Rosen hat eloquent auf die Funktion der Hörner hingewiesen. Siehe sein The Romantic Generation, S. 116ff.

10 Charles Rosen, The Romantic Generation, Cambridge, Massachusetts 1995, S. 121.

11 So schon Budde, a. a. O., S. 80.

12 Zauberberg, a. a. O., S. 903ff.

13 Vgl. Budde, a. a. O., S. 86f.

14 Andere Bearbeiter tun das nicht. So belässt Ernst Rudorff (Kaiserliederbuch I, 536f.) den doppelten Nachsatz. Gleichwohl konnte sich Silcher durchsetzen.

15 Charles Rosen hat auf die Verbindung von »memory« und »death« für Lied, Zyklus und romantisches Zeitalter hingewiesen. Siehe sein The Romantic Generation, a. a. O., S. 121.

16 Walter Benjamin, Literaturgeschichte und Literaturwissenschaft, in: ders., Gesammelte Schriften III, hrsg. von Hella Tiedemann-Bartels, Frankfurt/Main 1972, S. 290.

17 Siehe Michael Suffle, Liszt in Germany 1840–1845. A Study in Sources, Documents and the History of Reception, Stuyvesant, N. J., 1994 (Franz Liszt Studies Series No. 2, »we cannot tell whether he played any Schubert song transcriptions besides Ave Maria, Erlkönig, Lob der Thränen and Ständchen, at best in Gemany«. Ein überlieferter Programmzettel von Liszts Konzert am 9. November 1843 in Tübingen bestätigt diese Auswahl. Liszt spielte »Ständchen« und »Erlkönig«. Es ist reizvoll sich auszumalen, dass der Tübinger Universitätsmusikdirektor Silcher dieses Konzert besuchte.

18 In Nottebohms Thematischem Verzeichnis der Werke Beethovens (Leipzig 1868) sind bei jeder Komposition die auf dem Markt befindlichen »Übertragungen« samt Preis verzeichnet.

19 Derselbe A. Sartorio ist auch der Bearbeiter des in Carl Rühle's Musikverlag erschienenen »R. Schumanns Lieder Album. Für eine Mittelstimme mit den Vortrag erleichternder Klavierbegleitung«.

20 Vgl. Manfred Hermann Schmidt (Hrsg.), Friedrich Silcher 1789–1860. Die Verbürgerlichung der Musik im 19. Jahrhundert. Katalog der Ausstellung zum 200. Geburtstag des 1. Tübinger Universitätsmusikdirektors, Tübingen 1989 (Kleine Tübinger Schriften 11), S. 124, Exponat Nr. 158. – Dank an Frau Hannelore Rauscher, Direktorin des Silcher-Museums in Schnait, für kollegial gewährte Hilfe.

21 Zu generellen Aspekten der Vereinsforschung, zu Definitionen, auch zum Begriff der Geselligkeit siehe Hans-Friedrich Foltin, Geschichte und Perspektiven der Vereinsforschung, in: Hessische Blätter für Volks-und Kulturforschung, Neue Folge 16, 1984, S. 3–31.

22 Max Weber, Geschäftsbericht, in: Verhandlungen des Ersten

Deutschen Soziologentages [...] in Frankfurt/Main 1910; Reprint Frankfurt am Main 1969, S. 53f. Weber formuliert ganz bodenständig und drastisch: »... die Blüte des Gesangvereinswesens in Deutschland übt meines Erachtens beträchtliche Wirkungen auch auf Gebiete aus, wo man es nicht gleich vermutet, z. B. auf politischem Gebiet. Ein Mensch der täglich gewohnt ist, gewaltige Empfindungen aus seiner Brust durch seinen Kehlkopf herausströmen zu lassen, ohne irgend eine Beziehung zu seinem Handeln, ohne dass also die adäquate Abreaktion dieses ausgedrückten mächtigen Gefühls in dementsprechend mächtigen Handlungen erfolgt – und das ist das Wesen der Gesangvereinskunst –, das wird ein Mensch, der, kurz gesagt, sehr leicht ein ›guter Staatsbürger‹ wird, im passiven Sinn des Wortes. Es ist kein Wunder, dass Monarchen eine so große Vorliebe für derartige Veranstaltungen haben. ›Wo man singt, da lass dich ruhig nieder‹. Große Leidenschaften und starkes Handeln fehlen da.« – Vgl. auch Dietmar Klenke, Bürgerlicher Männergesang und Politik in Deutschland, in: Geschichte in Wissenschaft und Unterricht 40, S. 458–486, 534–561.

23 Ferdinand Hand, Aesthetik der Tonkunst, Zweiter Theil, Jena 1841, S. 555.

24 Otto Elben, Der volksthümliche deutsche Männergesang, Tübingen 1855, 2. Aufl. 1887. Reprint der 2. Auflage, hrsg. von Friedhelm Brusniak und Franz Krautwurst, Wolfenbüttel 1991 (zusammen mit Philipp Spitta, Der deutsche Männergesang, in: Musikgeschichtliche Aufsätze, Berlin 1894, S. 299–332). – Im Folgenden werden die Unterschiede in Zielsetzung und Organisation zwischen der mehr privat-exklusiven Liedertafel Zelter'scher Prägung und den auf Volkstümlichkeit zielenden süddeutschen Gesangvereinen im Gefolge der philantropisch-pädagogischen Ideen Nägelis (Pestalozzis) ignoriert. Für eine knappe, doch facettenreiche Darstellung der Männerchorbewegung siehe den Artikel »Chor- und Chormusik« von Friedhelm Brusniak in: MGG 2. Aufl., Sachteil, Bd. 2, Kassel (u. a.) 1995, Sp. 777ff. – Vgl. auch Dieter Düding,

Organisierter gesellschaftlicher Nationalismus in Deutschland (1808–1847). Bedeutung und Funktion der Turner- und Sängervereine für die deutsche Einigung, München 1984.

25 Brian E. Vick, Defining Germany. The 1848 Frankfurt Parliamentarism and National Identity, Cambridge Mass., 2003, insbesondere S. 205: »The task of constructing a German national state on the basis of the culturally multinational German Confederation«.

26 Heinreich von Poschinger (Hrsg.), Die Ansprachen des Fürsten von Bismarck 1848–1894, Stuttgart u. a. 2/1895, S. 294; Otto von Bismarck, Die gesammelten Werke, Bd. 13: Reden 1885–1897, S. 436.

27 Zu den Wiener Musikfesten zwischen den Kriegen siehe die materialreiche Studie von Gabriele Johanna Eder, Wiener Musikfeste zwischen 1918 und 1938. Ein Beitrag zur Vergangenheitsbewältigung, Wien/Salzburg 1991 (Veröffentlichungen zur Zeitgeschichte, Bd. 6). Ich danke Frau Dr. Eder für Hinweise und Auskünfte.

28 Wilhelm von Wymetal, Das 10. Deutsche Sängerbundesfest in Wien, Allgemeine Musikzeitung 55, 1928, S. 894f.

29 Heinrich Kralik in: Die Musik 21, 1928/29, S. 233f.

30 Emil Petschnig, Austriaca. Das X. Deutsche Sängerbundesfest, in: Zeitschrift für Musik 95, 1928, S. 304–306.

31 Zur deutsch-nationalen Ideologisierung Schuberts auf dem Wiener Fest siehe Pia Janke, Kult und Ideologie. Die Schubert-Feiern 1928 in Wien, in: Ilija Dürhammer und Pia Janke (Hrsg.), »Erst wenn einer tot ist, ist er gut«. Künstlerreliquien und Devotionalien, Wien 2002, S. 64–72.

32 Heinrich Lutz, Zwischen Habsburg und Preußen. Deutschland 1815–1866, Berlin 1985, insbesondere S. 465 bis Ende.

33 Hans Rudolf Vaget, »Ein Traum von Liebe«. Musik, Homosexualität und Wagner in Thomas Manns »Der Zauberberg«, in: Thomas Sprecher, Hrsg., Auf dem Wege zum »Zauberberg«. Die Davoser Literaturtage 1996, Frankfurt am Main 1997 = Thomas Mann-Studien, Bd. 16, S. 111–141. Mit ausführlichen Literaturangaben.

34 Stefan Bodo Würffel, Vom »Lindenbaum« zu »Doktor Fausti Wehklag«. Thomas Mann und die deutsche Krankheit zum Tode, in: Thomas Mann-Studien 23, 2000, S. 157–184.

35 Thomas Mann, zitiert nach Wülffel, ebenda S. 159.

36 Thomas Mann, Essays, hrsg. von Hermann Kurtzke und Stephan Stachorski, Frankfurt/Main 1991, Bd. 5, S. 280; hier zitiert nach Wülffen, a. a. O., S. 176.

Der Autor

Reinhold Brinkmann, geboren 1934, seit 1985 James Edward Ditson Professor of Music an der Harvard University, USA, seit 1996 auch Honorarprofessor an der Humboldt Universität zu Berlin. Hauptforschungsgebiete: Geschichte, Theorie und Ästhetik der Musik vom 18. bis 20. Jahrhundert. Zahlreiche Veröffentlichungen u. a. zu Beethoven, Schumann, Brahms, Wagner, Mahler, Reger, Schönberg, Webern, Eisler, Varèse. In der Reihe Wiener Vorlesungen erschien von ihm der Band »Arnold Schönberg und der Engel der Geschichte« (2002).